Cirkeljagers

Voor *Willem*,
omdat hij mij de kans geeft om cirkels en dromen na te jagen.

Voor *Sebastian*,
omdat hij vol interesse is.

Voor *Lotte*,
omdat zij gewoon Lotte is.

En verder voor de *cirkelmakers* (wie dat ook zijn), omdat zij mij zulke mooie vormen laten zien en mij zoveel moois hebben geschonken; ik heb er echte vrienden door gekregen.

Annemieke Witteveen

Cirkeljagers

Mysteries in het graanveld

Uitgeverij Akasha

Uitgeverij Akasha
Brammershoopstraat 8/16
7858 TB Eeserveen
Telefoon (0599) 28 72 45
Telefax   (0599) 28 72 28
E-mail: info@uitgeverijakasha.nl
Internet: www.uitgeverijakasha.nl

Vertegenwoordiging in België
Intersentia Uitgevers NV, Mortsel

Redactie
Marja van Hulst

Foto's
Annemieke Witteveen

Opmaak en vormgeving binnenwerk
studio/zetterij Nico Swanink

Omslagontwerp
In Ontwerp, Assen

Druk- en bindwerk
Krips bv, Meppel

ISBN-10: 90 77247 46 7
ISBN-13: 978 90 77247 46 4
NUR 283 (9-12 jaar)

Inhoud

Voorwoord

Er is heel veel in de wereld om ons heen wat ik erg interessant vind. Vooral graancirkels vind ik heel bijzonder. Ik hoop dat jullie het ook een interessant onderwerp vinden en ik wil graag uitleggen waarom ik dit boek zo graag wilde schrijven...

Een paar jaar geleden kreeg ik een boek in handen over dit onderwerp. Het was hetzelfde boek dat voor de moeder van Tomas in het verhaal de aanleiding is om naar Engeland te gaan en dat Tomas later leest om meer informatie te krijgen. Toen ik het uit had, wist ik zeker dat ik naar Engeland moest om de graancirkels daar te bezoeken. Het was een heel spannende reis. Ik ging er helemaal alleen naartoe en kende er nog niemand. Ook moest ik nog leren om in een Engelse auto te rijden en om niet te verdwalen in het gebied waar de graancirkels liggen. Gelukkig waren er een heleboel mensen die me hielpen en die me heel veel hebben geleerd. Het was eigenlijk nog leuker dan ik had gehoopt.

Weer thuis in Nederland liet ik aan wat mensen mijn foto's zien. Ik kwam er al snel achter dat niet alle volwassenen even leuk reageren. De meeste mensen vinden het een beetje een vreemd onderwerp, omdat ze er niet zo veel van weten en er ook niet zo veel van begrijpen. Ze vinden het vaak wat raar en voor sommigen is het eng. Soms gaan ze flauwe grapjes maken en vragen: heb je zelf ook al eens een graancirkel gemaakt met een plank en een touw? Andere mensen willen juist precies weten hoe de graancirkels worden gemaakt. Toch is er nog niemand die alle antwoorden heeft, ook niet de mensen die al heel lang met graancirkelonderzoek bezig zijn.

Zelf ben ik juf op een basisschool. In de klas heb ik het met de kinderen ook wel eens over graancirkels. Hoewel ook zij niet weten hoe de vork precies in de steel zit, merk ik dat kinderen het erg spannend en mysterieus vinden om erover te praten en te denken.

Ik heb zo veel mogelijk boeken over graancirkels gelezen en wilde alles weten wat erover was geschreven. Soms kwam er een kind naar me toe dat vroeg welk boek hij het beste kon lezen over dit onderwerp. Het is altijd erg moeilijk om een titel te noemen, omdat de meeste boeken over graancirkels in het Engels zijn geschreven, erg moeilijk te begrijpen zijn of heel saai zijn. Ik heb geprobeerd om zo veel mogelijk informatie in een spannend verhaal te stoppen over twee kinderen van jullie leeftijd, zodat jullie meer te weten kunnen komen over graancirkels.

Nu ga ik elk jaar naar Engeland en geniet van de prachtige vormen in het veld en van de vele vrienden die ik er inmiddels heb. Ik hoop dat jullie ook zullen genieten.

Annemieke

1

De eerste schooldag

TINGGG... Met een ferme ruk aan de bel luidde de
directeur het nieuwe schooljaar in. Veel kinderen hadden
elkaar op het schoolplein al even gesproken en na de eerste
bel leek het wel of uit alle hoeken en gaten nog meer
kinderen toestroomden. Leerlingen, die elkaar tijdens de
zomervakantie zes weken niet gezien hadden, riepen hun
nieuws over en weer. Vrolijke, lawaaierige stemmen vulden
het schoolplein.
Sommige kleintjes liepen verlegen met hun moeder
naar binnen om hun nieuwe klas te bekijken. Sterre, die
zich juist enorm verheugde op deze allereerste schooldag,
pakte haar moeders hand stevig vast en samen liepen ze
de kleuteringang binnen. Zij was in de zomervakantie
vier jaar geworden en mocht nu eindelijk elke dag naar
school. Voor haar verjaardag had zij een nieuwe tas en een
melkbeker gekregen om op school te kunnen gebruiken.

Verwachtingsvol liep Sterre de klas in. Ze wilde graag
haar nieuwe T-shirt aan de juf laten zien, hetzelfde dat
Tomas ook aan had, maar dan in een andere kleur.
Mama had die T-shirts met mooie vormen erop deze
zomer speciaal voor hen gekocht in Engeland. Sterre keek
nog even achterom of ze haar grote broer zag, hij ging al
naar groep 6, maar Tomas was allang met andere dingen
bezig. Hij stond bij het hek en was druk in gesprek met
zijn vriend Bart.

TINGGG... Voor de tweede keer werd er aan de bel getrokken. Dat was het teken voor de hogere groepen om nu ook naar binnen te gaan. Tomas voelde ineens een knoop in zijn maag. De eerste schooldag was altijd spannend: in welk groepje zou hij zitten, was de meester wel aardig en zou hij alle lessen kunnen begrijpen? Dit jaar maakte hij zich ook nog zorgen over iets anders.

De kinderen uit zijn klas stormden de trap op naar het leslokaal, maar Tomas bleef een beetje achter en kwam als een van de laatsten binnen. Gelukkig had de meester namen op de tafels gezet zodat hij niet per ongeluk helemaal achter in de klas terechtkwam.

De kinderen van groep 6 spraken allemaal door elkaar heen: het was een enorm kabaal, maar dat veranderde op het moment dat de meester de klas binnenkwam. Met een flinke klap sloeg hij de deur achter zich dicht zodat hij zeker wist dat iedereen hem opmerkte. Ogenblikkelijk werd het stil en de spanning steeg. Van deze meester werd gezegd dat hij behoorlijk streng was.

Hij ging voor de klas staan en zei: 'Goedemorgen groep 6b, ik ben meester De Korte en dit jaar zal ik jullie lesgeven. Van de juf van vorig jaar heb ik al het een en ander over jullie gehoord zodat ik vast groepjes kon maken. Zo zitten niet alle giechels en kletskousen bij elkaar, maar verspreid over het hele lokaal. Vandaag gaan we nog niet direct aan het werk maar zullen we elkaar eerst wat beter leren kennen. We gaan ook een aantal klassenregels opstellen zodat we een fijn jaar met elkaar zullen hebben, maar eerst wil ik natuurlijk van jullie weten wat jullie in de vakantie hebben gedaan.'

Tomas had tijdens het praatje van de meester een beetje zitten dromen maar schrok ineens op. Dit was precies waar hij zich zorgen over maakte... Natúúrlijk mocht iedereen vertellen wat er in de vakantie was gebeurd en meestal vond hij dat ook geweldig! De keer dat hij mocht vertellen dat hij een echte slang had vastgehouden in de dierentuin van Antwerpen, had diepe indruk gemaakt en ook toen hij vertelde over zijn reis naar Egypte, kreeg hij de volle aandacht. Er volgde zelfs nog een hele discussie met zijn juf, die hem niet geloofde toen hij zei dat er nog nooit een mummie van een farao was gevonden binnen in een piramide. Later gaf zij hem daar helemaal gelijk in, zij had het nagezocht in de schoolbibliotheek en in haar encyclopedie thuis: alle farao's die ontdekt waren lagen in de Vallei der Koningen, niet een in een piramide.

Alleen... dit jaar durfde hij niet zo goed. Zijn verhaal zou zeker niet helemaal gewoon zijn. Stel je voor dat hij werd uitgelachen? Er zaten een paar stoere jongens in de klas die graag anderen pestten met alles wat een beetje anders was. In het verleden was dat wel eens gebeurd, omdat Tomas in sommige opzichten niet zo stoer was. Hij hield bijvoorbeeld van sprookjes, mythen en sagen zoals die van Koning Arthur uit Engeland in de Middeleeuwen.

Gelukkig begon de meester in alfabetische volgorde en Tomas' achternaam begon met een letter achter in het alfabet. Hij had dus nog even uitstel.

Bart vertelde uitgebreid over zijn reis naar zijn oom en tante in Australië. Hij had beschermde koalabeertjes bezocht in een speciaal opvanghuis. In het echt waren ze nog leuker dan op de tv.

Anouk was weer zes weken naar een camping op de Veluwe geweest en had het daar erg naar haar zin gehad. Ze had zelfs de eerste prijs in de playbackshow gewonnen!

Marianne vertelde van haar reis naar Toscane in Italië. Zij had het huis van Leonardo da Vinci bezocht en had met eigen ogen gezien dat Leonardo rond 1500 al een vliegtuig had ontworpen in een tijd dat er nog helemaal geen machines bestonden!

Onder gewone omstandigheden zou Tomas dit onderwerp heel interessant vinden, maar nu hoorde hij alleen maar flarden van het verhaal.

Zo meteen was hij aan de beurt en zijn gedachten werkten razendsnel. Zou hij zeggen dat ze niet op vakantie waren geweest? Dat kon niet want Bart had zojuist verteld dat hij Tomas op wilde halen in de vakantie, om buiten met hem te spelen. De buurvrouw had gezegd dat de familie nog een week weg bleef.

Zou hij een verhaal verzinnen? Dat was waarschijnlijk niet zo'n goed idee. Wanneer je eenmaal begon met een leugen moest je heel goed onthouden wat je verteld had, anders viel je door de mand en hij kon toch al niet zo goed liegen.

Tomas kon zo gauw geen goede oplossing bedenken en toen de meester zijn naam noemde, brak het koude zweet hem uit. Van schrik wist hij even geen woord uit te brengen.

'Oké Tomas', zei meester De Korte nogmaals, 'jij bent aan de beurt. Ik wil van jou ook graag weten wat je hebt gedaan in de vakantie. Zo te zien heb je een nieuw T-shirt aan, klopt dat?' De meester keek Tomas vriendelijk aan.

Tomas knikte met een rood hoofd: 'Ja meester.' Nu begon de meester ook nog over zijn T-shirt. Hij had het helemaal niet aan willen trekken omdat hij geen zin had in moeilijke vragen, maar zijn moeder vond het zó leuk dat Sterre en hij juist deze T-shirts droegen, dat ze erop had gestaan dat hij het aantrok. Eigenlijk vond hij het zelf best een mooi shirt. Het was geel en dat was zijn lievelingskleur.

'Wat is dat voor een vorm die erop staat?' vroeg de meester.

Tomas haalde diep adem. Er was nu geen ontkomen meer aan. 'Dat is een graancirkel meester', zei hij heel zacht. Achter zich hoorde hij een onderdrukt gelach. Zie je wel, daar begon het al...

Eén blik van meester De Korte was genoeg om het weer stil te krijgen in de klas. 'Sorry Tomas, ik hoorde niet wat je zei. Kun je het nog een keer herhalen alsjeblieft?'

Ook dat nog, dacht Tomas en ineens werd hij onredelijk boos op zijn moeder. Het was haar schuld dat hij zich nu geen raad wist. Als het om graancirkels ging wist ze van geen ophouden en hield ze al helemaal geen rekening met hem... Diep vanbinnen wist hij wel dat het eigenlijk niet eerlijk van hem was, want hij vond graancirkels juist machtig mooi, maar deze boosheid gaf Tomas kracht en met een duidelijke stem zei hij opnieuw: 'Dat is een graancirkel meester.'

De meester keek een beetje verbaasd. 'Betekent dat misschien dat jij in de vakantie een echte graancirkel hebt gezien?'

'Ja meester', zei Tomas, terwijl hij hem recht aankeek.

'Zo, dat is interessant. Kun je ons daar wat meer over vertellen?'

2

Siem

'Siem, kom je eten?' Een vrouw, met een door de zon
gebruind gezicht, riep de jongen die boven op een kar vol
balen stro zat.
   Hij hoorde haar in eerste instantie niet, omdat de trekker
waar hij achter zat zo'n kabaal maakte. Toen hij haar zag,
stak hij lachend zijn arm op. 'Hé mam, is het al zo laat?'
Siem haalde zijn mouw langs zijn voorhoofd om het zweet
af te vegen en keek even naar boven. De zon stond recht
boven het land: het heetste moment van de dag.
   Gisteren was dit veld bewerkt met de nieuwe maaidorser,
een zeer sterke en grote machine. Helaas was de machine
aan het eind van de dag vastgelopen, iets wat maar zelden
gebeurt. Totdat de maaidorser gerepareerd was moesten
ze zich behelpen met minder moderne machines.
Dat betekende ook meer mensenwerk.

Vroeger, toen de vader van Siem nog een jongen was,
die zijn vader op het land hielp, werkten in de oogsttijd
heel wat knechten op de boerderij. Tegenwoordig was dat
niet meer nodig omdat het meeste werk door machines
werd gedaan.
   De vader van Siem was nu zelf boer en bezat een paar
dieren rond de boerderij en grote stukken land waar tarwe
op stond. De tarwe was nu rijp en omdat het mooie weer
waarschijnlijk nog maar een paar dagen aanbleef, had
Siems vader besloten het gewas, hoe dan ook, snel
binnen te halen. Gelukkig had Gerben, de oudste zoon

van de buren, spontaan aangeboden te komen helpen.
Hij studeerde in Groningen, had vakantie en was een
weekje thuis. 'Naoberschap', de vanzelfsprekendheid om je
buren te helpen, is tot op de dag van vandaag heel gewoon
in Drenthe.

Vanmorgen hadden ze, in afwachting van de gerepareerde
maaidorser, alvast het stro tot balen geperst met de pers-
machine. De zware balen moesten nu eerst op de kar
achter de trekker gestapeld worden. De boer en de jongens
bestuurden om en om de trekker, zodat niet steeds
dezelfde het zware opgooi- en vangwerk hoefde te doen.
Later kon het stro gebruikt worden als bodembedekking in
de stal of voor de verkoop.

Siem hielp in de zomervakantie altijd mee met de oogst,
zoals bijna alle boerenzoons, maar dit jaar had hij met zijn
vader afgesproken dat hij er wat geld mee zou verdienen.
Hij kon dan aan het eind van de vakantie eindelijk de
telescoop kopen die hij al maanden op het oog had.

'Pa, etenstijd!' De vader van Siem had zijn vrouw al zien
aankomen en stopte de trekker. Omdat alles anders liep
door de pech met de maaidorser, had zijn vrouw beloofd
voor deze keer zelf naar het land te komen, met een extra
lekkere lunch.

Met een sierlijke boog sprong Siem van de hoge kar af
en landde vlak naast zijn moeder. 'Fijn dat je er bent mam,
ik heb reuze honger!'

Siem nam de koelbox van haar over, haalde er behendig
een pak melk uit en dronk het achter elkaar leeg.

Zijn moeder trok een vies gezicht, maar Siem zag wel dat
ze niet echt boos was. 'Sorry hoor. Ik had zo'n dorst.
Je weet toch hoe warm het is om bovenop de kar te zitten
en die zware balen stro op te vangen?'

Zijn moeder lachte even. Ja, dat wist ze wel. Zij had haar man jaren geholpen.

Siems vader en Gerben waren ook aan een pauze toe. Ze gingen met hun rug tegen de grote banden van de trekker in de schaduw zitten. De goed gevulde koelbox was zeer welkom en ging vrijwel helemaal leeg.

Siem en zijn moeder maakten grapjes met elkaar, zoals ze zo vaak deden. Gerben, die dit zware werk niet meer gewend was, ging dankbaar achterover liggen en deed zijn ogen even dicht en Meneer De Jong las de plaatselijke krant, die zijn vrouw voor hem had meegenomen.

Het weerbericht bevestigde waar hij al bang voor was: het mooie weer, dat nu al dagen duurde, zou binnenkort wisselvallig worden. Als graan nat geoogst wordt, weet elke boer, gaat het schimmelen en kun je het weggooien.

Zoals het er nu naar uitzag, werd het juist een bijzonder goede oogst dit jaar. Het was een mooi zacht voorjaar geweest met genoeg regen om het gewas rustig te laten groeien en toen het nodig was had de zon het graan laten rijpen.

'He, kijk!' Meneer De Jong hield de krant omhoog. 'De Vries heeft weer een graancirkel in zijn land. Dat is al het tweede jaar op rij. Daar zal hij niet blij mee zijn. Vorig jaar had hij ook al een figuur in zijn tarwe liggen en toen zijn er heel wat toeristen op afgekomen. De meeste mensen lopen zomaar je veld op en beschadigen alles wat ze tegenkomen. Ik moet er niet aan denken.'

Siem keek op en vroeg de krant aan zijn vader. De Vries was een van hun buren die ook graanvelden had en vorig jaar was Siem met zijn vader gaan kijken in het veld waar de cirkel lag. Hij zag een footootje van de nieuwe graancirkel in de krant. Het waren er eigenlijk twee: een grote en een stukje verderop nog een kleintje met een ring eromheen. Siem vond dat het er mooi uitzag. De foto was van boven af genomen, alsof iemand hem vanuit een vliegtuigje had gemaakt.

'Hoe komen die figuren eigenlijk daar?' vroeg Siem aan zijn vader.

'Ach jongen, dat doen vandalen. Stomme jongens die met een plank en een paar touwen het veld in gaan en stoer willen doen. Ze vernielen het graan en de boer zit met de schade. Ze hebben er lol in om mensen voor de gek houden en ze te laten geloven dat er iets bijzonders aan de hand is.'

Siems vader was erg stellig in zijn uitspraak, maar Siem twijfelde: het zag er zo mooi uit.

Gerben, die leek te slapen, haalde opeens zijn pet voor zijn ogen vandaan en zei met een geheimzinnig gezicht: 'Welnee, De Jong, die graancirkels worden gemaakt door ufo's. Dat weet toch iedereen?'

3

Hoe het allemaal begon

Het was nu heel stil in de klas, een verwachtingsvolle stilte.
Tomas voelde zich verrast en verward tegelijk. De meester
wilde meer over graancirkels weten! Waar moest hij
beginnen, er was deze zomer zo veel gebeurd...

⁓≋≋⊳⁓

Zijn gedachten werkten op volle toeren: het was allemaal
zo'n jaar of twee geleden begonnen. Zijn vader had toen
een cadeautje gekocht voor zijn moeder: een boek over
graancirkels. Zij was er heel blij mee en kon haast niet
ophouden met lezen. Nog voordat zij het uit had wist ze al
zeker dat ze naar Engeland wilde, want daar werden elk
jaar nieuwe graancirkels gevonden.
  Vorig jaar waren ze dan ook met elkaar naar Engeland
gegaan, zelfs helemaal naar het uiterste westen, een plek
die Land's End heet. Ze hadden er een heleboel leuke
dingen gedaan en het kasteel bezocht waar vroeger Koning
Arthur woonde. Het was nu eigenlijk meer een ruïne dan
een kasteel en het lag heel hoog op een klif. Je moest
ontzettend veel treden beklimmen om boven te komen,
maar eenmaal daar aangekomen, had je een fantastisch
uitzicht op de grotten beneden. Tomas' vader had Sterre,
die toen drie was, de hele tocht op zijn schouders gedragen
en Tomas was er best trots op dat hij de hele klim zelf
maakte.

Een van de grotten zag eruit als de klauw van een dinosaurus en Tomas had zich voorgesteld hoe het was om daar naar binnen te gaan. Vroeger woonden in dit gebied heel veel piraten en misschien lag er nog wel een schat begraven of lagen er skeletten, zoals je wel eens in een film zag. Op een van de informatieborden had hij, met hulp van zijn vader, gelezen dat de grote tovenaar Merlijn deze grotten gebruikte als schuilplaats.

Ook hadden ze Stonehenge bezocht in Zuid-Engeland: een stenencirkel van minstens vijfduizend jaar oud. Tomas herinnerde zich hoe de ene vraag na de andere in hem opkwam: hoe waren die loodzware stenen op elkaar gestapeld in een tijd zonder machines, wat was de bedoeling van die cirkelvorm en waarom waren ze daar eigenlijk? Tomas' vader vertelde dat niemand het helemaal zeker wist. Deze stenencirkel had in elk geval te maken met het berekenen van de stand van de zon, de maan en de sterren: een kalender uit de oudheid, met een precisie, waar een moderne computer jaloers op kon zijn.

In de buurt van Avebury, niet zover bij Stonehenge vandaan, hadden ze voor het eerst een graancirkel gezien. Het veld, waar deze graancirkel in lag, was helaas al geoogst en je kon alleen nog vaag de vorm zien. Daarna waren ze doorgereden naar Uffington om het grote witte kalkpaard op de heuvel te zien. Tweeduizend jaar geleden hadden mensen daar de begroeiing weggehaald, precies in de vorm van een paard en er daarna kalk op gestrooid. Hoe het paard er precies uitzag, kon je alleen zien door er overheen te vliegen. Vanaf de plek waar ze nu stonden, zag je alleen een klein stukje, maar ze hadden wel uitzicht op een paar graancirkels in de verte. Een ervan had op een libelle geleken en Tomas wilde er graag heen. Helaas was daar toen geen tijd meer voor.

Het leek Tomas geweldig om weer naar Engeland te gaan en nu speciaal voor graancirkels. Het viel dan ook vies tegen toen bleek dat zijn moeder helemaal alleen naar Engeland wilde. Zonder zijn vader, zijn zusje en hemzelf.

Het afscheid

Tomas herinnerde zich de dag dat zij hun moeder naar het vliegtuig brachten heel goed. Het was thuis een drukte van belang geweest. Iedereen liep door elkaar om spullen voor de vakantie bij elkaar te zoeken. Zijn moeder voor haar reis naar Engeland en zijn vader, Sterre en hij voor een vakantie in Drenthe. Gelukkig had zijn moeder allemaal lijstjes gemaakt, zodat zij niets zouden vergeten.

's Morgens hadden ze alles in de auto gezet. Bepakt en beladen gingen ze op weg naar Schiphol om eerst mama weg te brengen. Daarna zouden ze direct doorrijden naar hun vakantiehuisje in het bos. Over een kleine week zou hun moeder ook naar Drenthe komen, zodat ze nog een paar dagen samen konden zijn.

Met een luid gebrul steeg een vliegtuig op en verdween al snel tussen de wolken. Binnen een paar tellen ging een volgend vliegtuig erachteraan, terwijl vanaf de andere kant een vliegtuig landde. Sterre wees opgewonden door het open autoraam naar al die vliegtuigen die zij vanaf de snelweg zag komen en gaan. Ook Tomas keek zijn ogen uit.

Het was enorm druk op Schiphol. Mensen liepen met grote koffers en karren te sjouwen, anderen renden door de hal om op tijd hun vliegtuig te halen. Er waren mensen die afscheid namen of die elkaar juist begroetten en overal

om hen heen klonken de meest vreemde talen.
Het liefst zou Tomas ook in zo'n grote jumbojet stappen
en verre reizen maken. Hij droomde even weg en zag
zichzelf al als volwassen piloot. Hij vloog met de grootste
vliegtuigen naar de meest fantastische plaatsen op aarde.
Iedereen staarde hem na als hij over het vliegveld liep met
zijn mooie uniform vol gouden strepen.

Tomas probeerde niet te veel naar zijn moeder te kijken
omdat hij dan een raar gevoel in zijn maag kreeg. Sterre
was nog te klein om te snappen dat mama alleen wegging.
Zijn zusje was een echt mama's kindje en straks gilde ze
vast alles bij elkaar zodra ze in de gaten kreeg dat hun
moeder zonder hen vertrok. Tomas voelde er niets voor om
dan voor aap te staan...en eigenlijk was hij er zelf ook niet
zo zeker van dat hij in staat was om zijn tranen tegen te
houden.
'Ik moet nu gaan jongens. Geef me nog een dikke kus.
Lief zijn voor papa hoor en veel plezier in Drenthe. Ik bel
binnenkort en over een weekje ben ik al weer bij jullie!'
Na nog een laatste omhelzing zagen ze mama door de
poort van de douane verdwijnen.

'Zo jongens', zei Tomas' vader, 'en nu wij. Zullen we
onze vakantie beginnen met een ijsje?' Sterre was zo
enthousiast dat ze helemaal vergat te huilen. Tomas en
zijn vader wisselden opgelucht een blik van verstand-
houding en even later liepen ze gedrieën, met ijsje en al,
naar de parkeerplaats toe.
'Hebben jullie een beetje zin in de vakantie?' vroeg hun
vader.
'Jáááʼ!' zeiden Tomas en Sterre tegelijk.
'Stap maar gauw in dan gaan we naar Drenthe.'

Het was erg druk op de weg, maar na een uur of twee rijden, arriveerden ze dan eindelijk op hun vakantieadres: een heel mooi vakantiehuisje, midden in het bos. Tomas had allang gezien dat er een speeltuin vlakbij was met een superhoge glijbaan en je kon er ook grote skelters huren.

's Avonds, toen Sterre naar bed was, had Tomas tijd om rustig met zijn vader te praten. 'Pap, vind jij het niet raar dat mama alleen naar Engeland wil?' vroeg hij.

'Nee hoor', zei papa. 'Je moeder wil dit zo graag en zonder ons kan zij zich beter op de graancirkels concentreren. Bovendien heb ik jullie zo ook eens voor mezelf. Morgen kun je rustig rondkijken in de buurt van het huisje, wat er hier allemaal te doen is, en misschien heb je wel zin om je eigen plattegrond te tekenen, daar ben je goed in!'

'Hebben ze hier ook een zwembad?' vroeg Tomas hoopvol. Hij was een echte waterrat en wilde het liefst elke dag het water in.

'Ja, maar verwacht niet van me dat ik elke dag met je meega', zei papa. 'Met al die zwemdiploma's van jou is dat ook helemaal niet meer nodig. Misschien gaan we wel een keer naar het Blauwe Meer. Dat is een mooi meertje in het bos met een strandje waar we kunnen zwemmen. We zullen wel zien, er is tijd genoeg, maar nu is het ook tijd voor jou om naar bed te gaan!'

Tomas zei zijn vader hartelijk welterusten en ging naar zijn slaapkamer. Hij wist zeker dat dit een heel fijne vakantie ging worden.

Beneden zette zijn vader de laptop aan: hij zocht doelbewust op het internet. Toen hij de goede site gevonden had, surfte hij even door wat pagina's en opeens verscheen er een glimlach op zijn lippen. 'Dat zal Tomas leuk vinden', zei hij zachtjes en hij schreef iets op. Toen sloot hij de computer af, deed de lichten uit en ging zelf ook naar bed.

5

Een graancirkel in Drenthe

'Tomas, ga je mee buiten spelen?' Met een glimlach en haar allerliefste stemmetje vroeg Sterre aan haar broer of hij mee wilde gaan. 'Ga weg! Je ziet toch dat ik nog half slaap?' Tomas had wel vaker last van een ochtendhumeur maar vanmorgen was hij even helemaal de kluts kwijt. Waar was hij? Drenthe... Vakantiehuisje, yes! Teleurgesteld droop Sterre af om met haar barbies te gaan spelen, maar Tomas was opeens klaarwakker: 'Oké, ik kom eraan, dan gaan we eerst een plattegrond tekenen en daarna het vakantiepark verkennen.' Sterre lachte opgelucht en ging op zoek naar papier en potloden.

Toen hun vader wakker werd, hadden de kinderen al een plattegrond getekend die zo groot was dat de hele provincie er wel inpaste. Tomas had aan alles gedacht: hunebedden, bosmeertjes, fietspaden, snoepwinkels, hertendrinkplaatsen en natuurlijk een verborgen schat. Alles was terug te vinden op de kaart.

Sterre en Tomas hielpen hun vader met het dekken van de tafel. Omdat het lekker weer was, gingen ze buiten ontbijten. Het bakje met nootjes en brood dat ze gisteravond hadden neergezet was bijna leeg. Elke keer als ze net niet keken, kwamen er kleine bosmuisjes, die met het eten aan de haal gingen. Ze hadden al wel een eekhoorntje gezien die er met nootjes vandoor ging. Als ze geluk hadden, zagen ze een hert en misschien, heel misschien zelfs wel een wild zwijn.

Na het ontbijt vroeg hun vader of hij de plattegrond ook eens mocht bekijken. 'Zo, dat ziet er mooi uit', zei hij. 'En waar heb je nu die graancirkel getekend, Tomas?' 'Graancirkel?' vroeg Tomas. 'Dit is een plattegrond van deze omgeving hoor, niet van Engeland.'

Zijn vader moest lachen en Tomas begreep er niet veel van. Zat hij hem nou te plagen of niet? Tomas keek eens naar zijn vader, maar zag aan zijn serieuze gezicht dat hij hem niet voor de gek hield.

'Bedoel je...?' Tomas keek verbaasd.

Zijn vader knikte.

'Bedoel je echt dat er hier in de buurt een graancirkel ligt?'

Tomas' vader knikte weer.

'Wauw! Weet mama dat?' vroeg Tomas. Het leek hem geweldig om aan zijn moeder te kunnen vertellen dat er hier ook een echte graancirkel was verschenen. Ze zou dan zo'n spijt krijgen van haar tocht alleen naar Engeland dat ze onmiddellijk terugkwam. Voortaan gingen ze altijd samen naar Drenthe op vakantie, want hier waren die graancirkels ook!

'Gaan we ernaartoe, pap?' vroeg Tomas verwachtingsvol.

'Die vraag verwachtte ik al..., maar ik moet eerst nog even kijken waar hij precies ligt. Ik ken de omgeving hier ook nog niet zo goed.' Tomas' vader opende zijn laptop, startte hem op en vond snel de site van de Nederlandse graancirkels. Hij noteerde wat namen en een telefoonnummer. 'Kom. Spullen inpakken, brood smeren en ook drinken mee. Het wordt een warme dag.'

'Wacht!' riep Tomas, 'dan pak ik snel mijn fototoestel nog even om bewijsmateriaal te kunnen verzamelen. Mama gelooft het anders nooit...!'

De tas werd achterop de fiets gebonden en Sterre werd in het fietszitje gezet. Ze gingen een flinke tocht maken en zover kon ze zelf nog niet fietsen.

Tomas was helemaal opgewonden en wilde zo snel mogelijk naar de graancirkel toe. 'Hoe ver is het?' vroeg hij aan zijn vader.

'Een kilometer of tien. We gaan lekker door het bos, daar is het in elk geval koel en we hebben de hele dag de tijd', antwoordde hij.

Meestal vond Tomas dat hij de beste vader van de wereld had, maar soms begreep hij er helemaal niks van! Dit was zo'n moment. Tomas wilde het liefst zo snel mogelijk naar de graancirkel toe. Niks fietsen door het bos, picknicken of uitrusten. Met de auto over de snelweg en plankgas, dát was wat hij wilde!

Na ruim een uur fietsen, bereikten ze een bord waarop stond: Wilhelminaoord.

'Nu zijn we vlakbij', zei Tomas' vader. Ze fietsten nog een klein stukje verder en reden het dorpje alweer bijna uit. Tomas vroeg zich af of ze er al voorbij gereden waren zonder dat ze wat hadden gezien, maar toen zag hij dat er aan zijn rechterhand een aantal graanvelden lag.

Op een van de velden zag hij een trekker rijden met een jongen van zijn leeftijd achter het stuur. Er hing een flinke strokar achter en er waren nog twee mannen aan het werk. De ene gooide de strobalen naar boven en de ander ving ze op en stapelde de balen netjes op elkaar. Tomas hoorde iemand iets roepen en daarna hoorde hij gelach. Hij kon niet verstaan wat er werd gezegd, daarvoor waren ze te ver weg.

'Bij de eerstvolgende boerderij ga ik wel even vragen of iemand iets van de graancirkel afweet', zei Tomas' vader. Al snel konden ze de fietsen op de standaard zetten en hij liep naar de voordeur van een grote boerderij. Hij moest eerst langs een enorme waakhond, aan een ketting, die direct hard begon te blaffen tegen deze vreemde op zijn terrein. Tomas zou dat nooit gedurfd hebben, maar zijn vader liep onverstoorbaar verder. Bij de voordeur las hij het naambordje, begon te lachen en drukte op de bel.

'Kijk Tomas, dat noem ik nou toevallig. Hier woont boer De Vries.'

Tomas snapte niet wat daar zo toevallig aan was. Hij had wel eens gehoord dat De Vries de meest voorkomende naam in Nederland was, dus het was niet meer dan logisch dat er in Drenthe ook mensen woonden met die achternaam.

De deur werd opengedaan door een nogal nors uitziende man.

'Goedemiddag meneer', begon Tomas' vader beleefd. 'Neemt u ons niet kwalijk dat wij u storen. Ik heb op internet gelezen dat er hier, in Wilhelminaoord, een graancirkel is gevonden in het veld van boer De Vries. Ik zie dat u zo heet en met een beetje geluk zijn we hier op het juiste adres. Als dat klopt, willen wij graag en kijkje nemen als dat mag. Wij zijn erg geïnteresseerd en zullen heel voorzichtig het land betreden en niets kapotmaken.'

Het gezicht van de boer ontdooide een beetje. 'Ja, dat klopt, het is mijn veld. Waarom komen mensen toch op die onzin af?'

Tomas had gezien dat de hond weer rustig was gaan liggen en kwam wat dichterbij. 'Ik wil zo graag eens in een échte graancirkel staan, meneer', zei Tomas. 'Mijn moeder is nu in Engeland om daar naar graancirkels te zoeken en het lijkt me zo leuk om haar vanavond op te bellen en te

vertellen dat wij ook in een cirkel hebben gestaan!'
De boer moest lachen. 'Wat? Gaat zij daarvoor helemaal
naar Engeland terwijl jullie er hier vlakbij zijn? Eigenlijk
wil ik geen mensen in mijn veld hebben, die trappen alles
maar kapot en dat gaat ten koste van de oogst. Maar omdat
jullie het zo netjes komen vragen en begrijpen dat je moet
opletten waar je loopt, geef ik jullie toestemming om even
te kijken.'
Boer De Vries kon het niet snappen: 'Helemaal naar
Engeland voor die gekkigheid, hahaha! Vertel haar maar
dat ze hier ook gemaakt worden hoor. Verleden jaar had ik
al een graancirkel in mijn tarweveld en volgend jaar zal er
ook wel weer een te vinden zijn. Weet je wat... ik loop wel
even met jullie mee, dan kan ik je aanwijzen waar het is.'

'Ik heb begrepen dat het er twee zijn', zei de vader van
Tomas.
'Klopt, en de dag voordat ze hier ontstonden was er
beslist nog niets aan de hand', zei de boer.
'Denkt u dat mensen ze gemaakt hebben?' vroeg Tomas'
vader.
'Ik heb niemand gezien, bovendien durven de meeste
mensen ook niet zo goed langs mijn hond: die kan nogal
tekeergaan', antwoordde De Vries.
Ja, dat was Tomas niet ontgaan. De hond was enorm
groot en maakte vreselijk lawaai als er een vreemde in de
buurt kwam.
'Ik heb mijn hond die nacht wel horen blaffen, maar toen
ik ging kijken, zag ik niemand. Ik ben mijn bed uitgegaan
om te kijken of er soms een vosje was die het op de kippen
had voorzien, maar er was niets bijzonders aan de hand.
Het was trouwens ook ineens vrij mistig en zwaar bewolkt,
terwijl het eerder een heldere avond was. Later was er ook
nog een enorme donderklap en daarna is het gaan

regenen. Het gekke is dat ik de volgende dag geen voet-afdrukken heb kunnen vinden en die moeten er toch zijn als er mensen in gelopen hebben. Gelukkig was de regen-bui van korte duur en is het graan weer snel gedroogd in de zon, zodat er geen schade is aangericht aan het gewas. Diezelfde dag heb ik Bob de Haas gebeld, de graancirkel-onderzoeker, die u ook op de website bent tegengekomen. Hij is onmiddellijk hiernaartoe gereden en ook hij kwam tot de conclusie dat het waarschijnlijk geen mensenwerk was. Eerlijk gezegd zit ik niet te wachten op dit soort gedoe, maar wijs geworden door ervaring, heb ik hem opgeroepen. Hij zet dan op zijn website dat mensen alleen maar op afspraak mogen komen. Goed, kom maar mee, dan heb jij weer een mooi verhaal te vertellen aan je moeder', zei boer De Vries, terwijl hij Tomas een vette knipoog gaf.

Ze liepen in de kale tractorsporen door het graanveld. Tomas liet zijn handen gedachteloos door het gewas gaan. Het reikte bijna tot zijn middel en het voelde stug aan. Opeens kon hij het niet laten: hij brak een aar van een stengel af, pulkte het velletje van een korrel en stak hem in zijn mond. De korrel voelde hard aan en toen hij erop kauwde, proefde hij meel.

Boer De Vries had het hem zien doen en zei: 'Als het graan nog niet zo rijp is, smaakt het veel beter. Het is dan zacht, sappig en een beetje zoet. Nu is het al te droog om zo te eten.'

Tomas schrok ervan: ze hadden nog wel zo beloofd om niets te vernielen... Gelukkig reageerde de boer alleen maar aardig.

Na een wandeling van een paar minuten bereikten ze de graancirkel. Tomas stopte voor de figuur in de tarwe. Wat hij voor zich zag liggen, was zó anders dan hij zich had voorgesteld! Hij had verwacht dat het er rommelig uit zou zien, maar het leek erop of iets of iemand het graan met liefde had neergevleid.

De stengels waren voorzichtig gebogen en over elkaar heen gelegd. Voorzichtig liep Tomas het neergelegde graan op, bang om iets te beschadigen, en liep een rondje. Het was een grote cirkel van wel zeven meter doorsnee. In het midden stond een rechtopstaand plukje tarwearen en van daaruit leek de rest van het graan rondgedraaid en neergelegd. Als je vanuit het midden met de wijzers van de klok meedraaide, dan kwam je weer op het beginpunt uit. Het was een perfecte cirkel met een paar meter verderop nog een dunne ring eromheen.

In het veld lag nóg een cirkel, die ongeveer twee keer zo groot was als de cirkel waar hij nu instond. Je kon hem bereiken door eerst weer een stukje in de tractorsporen te lopen. Tomas vond het fantastisch dat hij daar liep en hij was diep onder de indruk van wat hij zag.

Zijn vader glimlachte naar hem. Hij stond een eindje verderop met boer De Vries te praten en Sterre lag op haar rug naar de wolken te kijken. 'Kijk Tomas, die wolk lijkt op een paardje!' riep Sterre.

'Natuurlijk!' riep Tomas terug. Sterre was dol op paarden en volgens haar leek elke wolk op een paard.

Tomas keek naar boven en zag ineens wat Sterre bedoelde. Deze wolk leek er echt op! Hij ging in het midden van de grote cirkel op zijn rug liggen om naar de wolken te kijken. Tomas zuchtte. Hij wist niet waarom en hoe het kwam, maar zijn lijf begon opeens aangenaam te tintelen en hij voelde zich zomaar blij en gelukkig hier midden in deze cirkel.

Ze konden helaas niet eeuwig in het veld blijven. Boer De Vries moest weer aan het werk en Tomas en papa hadden

een flinke fietstocht voor de boeg, terug naar het vakantiehuisje. Tomas maakte nog snel een paar foto's voor ze
weggingen. Hij had voor zijn verjaardag een klein fototoestel gekregen, waar hij erg trots op was en daar wilde hij
graag mee oefenen deze vakantie.

Vlak voor het afscheid vroeg Tomas aan boer De Vries:
'Door wie denkt u dat die graancirkels zijn gemaakt?'

Boer De Vries keek Tomas aan, met een geheimzinnige
uitdrukking op zijn gezicht, en zei met ingehouden stem:
'Door de Wieven, jongen. Door de Witte Wieven...!'

6

Tomas belt zijn moeder

Na alle opwinding in de graancirkel bij boer De Vries, leek de terugweg veel langer te duren dan de heenweg. Tomas begon steeds langzamer te fietsen; hij had ook last van de middaghitte.

Het voorstel van zijn vader om te stoppen bij de schaapskooi en wat te drinken, klonk dan ook als muziek in zijn oren. Ze hadden geluk, want juist op het moment dat ze afstapten, kwam de herder met zijn kudde thuis. Het zag er mooi uit: wel honderd schapen, bij elkaar gehouden door twee goedgetrainde honden. De herder hoefde nauwelijks iets te doen. Zodra er schapen afdwaalden, werden ze weer bij de kudde gedreven. Ook de honden hadden het warm: ze hijgden enorm en hun tong hing uit de bek.

Hoewel de schapen al in het late voorjaar geschoren waren, hadden ze toch alweer een behoorlijke vacht. Tomas moest er niet aan denken om met dit weer een wollen trui aan te hebben. Hij had het zeer te doen met de schapen. Later vertelde de herder dat wol in de winter lekker warm is voor de dieren en in de zomer juist koel.

Met een kort, schel fluitsignaal gaf de herder de honden de laatste opdracht en met een vloeiende beweging werden alle schapen in een keer de kooi binnengeloodst. Het hek werd gesloten om te zorgen dat ze binnen bleven.

Alle kinderen die bij de schaapskooi stonden, mochten naar binnen om tussen de schapen te staan en ze te aaien. Tomas vond het een te gek plan, maar Sterre was een beetje bang voor zoveel schapen tegelijk. Toen papa, als geintje, ook nog zei dat hij Tomas morgen wel weer kwam ophalen en hem welterusten wenste tussen de schapen, begon Sterre onbedaarlijk te huilen. Ze wilde Tomas absoluut mee naar huis. Iedereen moest lachen, maar Tomas had haar geknuffeld en gerustgesteld.

Het was een fijne dag, maar na het eten viel het Tomas' vader op dat zijn zoon een beetje stilletjes was. 'Zit je iets dwars, Tomas?' vroeg hij.

'Ik snap er niet veel van', zei Tomas nadenkend.

'Waarvan niet?' vroeg zijn vader.

'Nou, gewoon, van die graancirkel. Hoe komt die in het veld? Als ze door mensen zijn gemaakt, had boer De Vries ze toch betrapt? Ze moeten vlak langs zijn huis en de hond zou dat nooit toelaten... En waarom zouden mensen dat willen doen?' Tomas keek erbij of hij een groot geheim wilde ontrafelen.

'Ik weet er ook niet zoveel van', zei Tomas' vader, 'maar ik ken iemand die dat wel weet...'

'Mama! Mag ik haar bellen om alles te vertellen?' vroeg Tomas. Zijn ogen begonnen te stralen en hij stond onmiddellijk op om de mobiele telefoon te pakken.

'Kom maar hier. Ik toets het nummer wel in', zei papa. Hij drukte enorm veel cijfertjes in, omdat de verbinding helemaal naar Engeland ging. Papa hield de telefoon aan zijn oor en wachtte even. Tomas stond zo dichtbij dat hij kon meeluisteren. Hij hoorde dat er aan de andere kant werd opgenomen. Er werd iets in het Engels gezegd en papa vroeg naar Susanne. Het werd even stil aan de andere kant en toen gaf papa de telefoon aan Tomas.

'Hi, Susan here', zei een stem.

'Mama! Hoi! Met Tomas.'

'Tomas, lieverd! Wat fijn om je te horen', klonk het blij door het mobieltje.

'Waarom heet je opeens Susan, je heet toch gewoon Suzanne?' zei Tomas verbaasd.

'Jawel, maar dat is voor de Engelsen wat moeilijker uit te spreken dan Susan', zei mama. 'Ik ben nog gewoon dezelfde, hoor! Hoe is het met jullie? Hebben jullie een fijne vakantie?'

Mama wilde van alles weten en Tomas gaf vlug antwoord. Hij wilde zo snel mogelijk vertellen wat er allemaal gebeurd was vandaag.

'Mam, raad eens waar we vandaag zijn geweest', zei Tomas.

'Uhm, even denken... naar het planetarium?' vroeg mama.

'Nee, daar gaan we een ander keer nog naartoe. Je raadt het nooit... wij zijn vandaag in een echte graancirkel geweest!'

'Hè? Wat? Wauw! Waar was het, hoe groot was hij, welke vorm had hij, hoe zag hij eruit?' Zijn moeder struikelde haast over haar eigen woorden en Tomas moest lachen omdat hij haar verbaasde gezicht voor zich zag. Hij gaf zo goed mogelijk antwoord, want hij vond het fijn als zijn moeder een beetje trots op hem kon zijn.

'Ben jij ook al in een graancirkel geweest in Engeland?' vroeg Tomas.

'Jazeker, maar hier is dat niet zo bijzonder meer.'

Mama begon te vertellen: 'Er verschijnen in deze buurt elke zomer wel een stuk of zeventig graancirkels. Dat betekent dat er bijna elke dag een nieuwe formatie verschijnt. We zijn hier met een heleboel mensen die de cirkels graag willen onderzoeken en elke keer als er een nieuwe verschijnt, geven we dat aan elkaar door, zodat iedereen er naartoe kan. We kijken dan eerst goed of er sporen van mensen zijn, die de cirkel gemaakt hebben. Natuurlijk maken we ook veel foto's en zoeken we naar alle mogelijke bijzonderheden. Helaas kun je vanaf de grond altijd maar een stukje van de hele graancirkel op de foto krijgen. Als het morgen mooi weer is, ga ik proberen of ik iemand met een vliegtuigje kan vinden die me er overheen wil vliegen. Zo kan ik foto's van boven af nemen en dan kun je pas echt goed zien welke vormen de graancirkels hebben!'

Tomas werd er stil van en stelde toen toch de vraag die hem op dit moment het meeste bezighield: 'Mam, wie maakt die graancirkels nu eigenlijk?'

Zijn moeder wachtte even voor ze antwoord gaf. 'Dat is een belangrijke vraag, Tomas, en die is niet zo makkelijk te beantwoorden. Er zijn heel veel mensen al heel lang op zoek naar het enige juiste antwoord en er zijn veel ideeën over, maar tot nu toe heeft niemand het bewijs in handen. We hebben het daar later nog wel eens over en ik beloof je dat jij de eerste bent die ik bel als ik er deze week achterkom! Geef me nu Sterre en papa nog maar even. Als je weer een graancirkel vindt, geef het dan ook even door aan de onderzoekers die nu nog in Nederland zijn. Hun telefoonnummer moet papa maar van het internet halen. Het is héél bijzonder hoor, om een graancirkel in Nederland te bezoeken. Je bent een boffer!'

Tomas gaf de telefoon aan Sterre die al ongeduldig stond te wachten en liep naar de keuken om zichzelf een glas water in te schenken.

Het was fijn om even met mama te praten en om haar te horen vertellen over de graancirkels in Engeland, maar veel wijzer was hij er niet van geworden. Nu wist hij nóg niet wie die cirkels maakten, hoe ze dat deden en waarom.

Hij zou aan papa vragen om morgen met hem naar de bibliotheek te gaan, dan kon hij tenminste een boek lezen waar dit soort antwoorden in stonden. Iemand moest het toch weten?

7

De lichtbol

Een dikke laag wolken verstopte de maan en de sterren. Het was zo donker dat je niet één ster kon zien, laat staan de melkweg of Venus. Op dit uur van de nacht waren er niet veel mensen buiten. Bijna iedereen lag te slapen. Het was intens stil, alleen in de verte raasde er af en toe een vrachtwagen over de snelweg. Een hertje kwam uit het bos tevoorschijn en bleef even stilstaan om een paar blaadjes te eten. Het diertje was schichtig en luisterde goed of er geen gevaar dreigde. Plotseling richtte het geschrokken zijn kopje op, legde zijn oren plat tegen zijn hoofd, hief zijn staartje op en sprong met een paar grote sprongen het bos weer in.

Op datzelfde moment begon er in de verte een aantal koeien te loeien en dichterbij blafte opeens een hond onbedaarlijk. Het dier klonk alsof het in paniek was en bleef maar doorgaan.

Tomas deed even zijn ogen open. Wat was dat voor een herrie? Hij dacht dat er op een boerderij in de buurt misschien iemand langsliep en dat de hond daardoor aansloeg.

Vanachter de donkere bomenrij steeg heel langzaam een
grote witte bol omhoog en bleef een poosje stil hangen.
De bol verspreidde een witachtig licht en het leek een
beetje of het klopte, of het pulseerde, net zoals een hart
zachtjes op en neer gaat. De lichtbol bewoog wat heen en
weer en plotseling schoot hij er in volle vaart vandoor,
richting het dichtstbijzijnde graanveld. Op zijn tocht vloog
de lichtbol ook over het vakantiepark.

Wakker geworden door het non-stop geblaf van de hond
draaide Tomas zich om in zijn bed en wilde net de dekens
dichter om zich heen trekken toen hij een licht zag
bewegen. Hij dacht dat zijn vader met een zaklamp op de
gang liep. Hij moest zeker even naar het toilet. Waarom zo
ingewikkeld met een zaklamp, dacht Tomas, papa kon toch
gewoon het licht op de gang aandoen? Morgen zou hij wel
tegen zijn vader zeggen dat hij er echt geen last van had als
de ganglamp even aan moest. Hij trok de deken over zijn
hoofd en viel in slaap.

In een van de boerderijen van het dichtstbijzijnde dorp
was ook iemand wakker geworden. Siem reageerde
onmiddellijk op het geloei van hun koeien die nu op stal
stonden. Het klonk alsof er een koe moest kalveren en hulp
nodig had, maar hij wist dat er geen drachtige koeien waren.
Ongerust sprong hij zijn bed uit en liep zachtjes de trap af.
   Siem deed de deur naar de deel open, keek eerst even
snel naar buiten of daar onraad was, en liep naar de koeien
toe. Hij kon niets vreemds ontdekken. Hij aaide zijn
lievelingskoe en sprak alle kalmerend toe. Daarna ging hij

voor de zekerheid nog een keer buiten kijken. Het was behoorlijk fris, maar daar was hij wel aan gewend en er hing een bepaalde geur buiten, alsof het net geonweerd had. Siem keek gewoontegetrouw naar boven of hij nog wat sterren kon onderscheiden, maar daar was geen sprake van: het was een opvallend donkere, sterrenloze nacht. Even mijmerde hij weg: hij zag de telescoop voor zich, die hij binnenkort ging kopen. Hij had al heel wat boeken gelezen over sterrenstelsels en planeten. Straks kon hij elke nacht, zelfs vanuit zijn eigen kamer, met de telescoop naar de hemel kijken en hoefde hij daar niet meer elke keer voor naar het planetarium...

Plotseling zag Siem een lichtbol voorbij zweven. De bol was goed zichtbaar in de donkere nacht. Er waren in de verre omtrek geen andere lichten en zelfs de lantaarns aan de weg kon je van hieraf niet zien. Even knipperde hij met zijn ogen. Wat was dat? In elk geval geen vallende ster, dat licht kende Siem maar al te goed. Bovendien was het aardedonker met al die wolken. Hij had geen idee wat het dan wel was, maar iets in hem zei dat dit wel eens heel belangrijk zou kunnen zijn.

Boven het open veld gekomen, kwam de bol tot stilstand en veranderde in een soort platte pannenkoek. Er kwam een felle lichtstraal uit die het veld aanraakte en er klonk een heel zacht knetterend geluid. Stel dat er iemand in het veld had gestaan, dan zou zijn huid nu warm en tintelend aanvoelen, maar er stond niemand. Zo kwam het dat geen mens zag wat er in het graan, onder het licht, veranderd was.

Het licht veranderde opnieuw in een bolvorm en verdween zonder een enkel geluid, met grote snelheid, weer achter de donkere bomenrij. De hond die nog steeds blafte, hield eindelijk op en de rust keerde weer. Een snelle bliksemflits verlichtte even de donkere nacht, gevolgd door een donderende klap die bij onweer hoort. Even was het totaal stil, daarna hoorde je alleen nog de regen die op de aarde neerkletterde.

8

Siem ontdekt een graancirkel

'Siem! Wakker worden jongen...' De vader van Siem stond naast het bed en schudde aan zijn schouder. Het was kwart voor zes in de ochtend: ze hadden afgesproken vroeg te beginnen vandaag. Het zou weer een lange hete dag worden.

Meestal werd Siem wakker bij het kraaien van de haan, maar vanochtend wilde het niet zo lukken. Het was een korte nacht geweest en hij had onrustig geslapen, dromend van lichtbollen, rondtollende planeten en vallende sterren, op de raarste plekken. Om zijn hoofd helder te krijgen, waste hij zich snel met koud water... Wat een rare nacht!

Gerben zat al aan de ontbijttafel en lachte breed naar Siem: 'Zware nacht gehad?'

'Hmmm, gaat wel. Veel wakker geweest', zei Siem, terwijl hij een hap van zijn boterham nam. Hij wist maar al te goed dat hij niet over een zwevende lichtbol hoefde te beginnen. Ze zouden hem straal uitlachen en zeggen dat hij ze zag vliegen. Zeker zijn vader hield niet van onzin en wenste geen watje als zoon. Misschien kon hij het er later met zijn moeder over hebben, zij vond niet zo gauw iets gek en anders kon hij ook nog in de bibliotheek op zoek gaan. Siem was niet van plan het erbij te laten zitten, maar eerst moest de flinke oogstklus van deze dag geklaard worden.

Misschien kon hij vanmiddag nog wel even een duik nemen in het meertje achter de bomenrij. Voor de zekerheid had hij zijn zwembroek alvast aangetrokken onder zijn donkerblauwe tuinbroek.

Boer De Jong had gisteravond laat zijn velden nog geïnspecteerd, zodat hij voor vandaag duidelijke instructies kon geven. Het tarweveld lag er mooi bij, klaar voor de oogst. In de loop van de ochtend zou hij persoonlijk achter de maaidorser aan gaan. De reparatie duurde langer dan verwacht en dat kwam wel heel slecht uit. De beide jongens zouden ondertussen flink doorwerken met de beschikbare oude maaidorser, met zijn open cabine. Ze waren zich er goed van bewust dit nu eenmaal langzamer ging dan met de veel grotere moderne machine.

Niet eens zo diep in zijn hart voelde Siem het als een buitenkansje: omdat hij meer ervaring had dan Gerben mocht hij de oude vertrouwde maaidorser besturen en Gerben zou naast hem zitten en helpen waar nodig. Nadat alle voorbereidende klussen waren gedaan, bracht Siems vader de twee jongens in de loop van de ochtend naar het veld. De machine stond er al en het graan was inmiddels gedroogd door de hete zon. Voordat boer De Jong doorreed naar de monteur, zwaaide hij nog even kort naar de jongens.

Siem en Gerben klommen een beetje uitgelaten op de maaidorser.

'Weet je nog wel hoe het moet?' vroeg Gerben plagerig, terwijl hij stevig op de toeter drukte.

'Zorg jij nou maar dat je me op tijd waarschuwt zodra je kaboutertjes ziet', zei Siem. 'Ik moet er niet aan denken dat ik er eentje overrij!' Lachend startte hij de oude maaidorser.

Kaboutertjes overrijden zou zo'n vaart niet lopen, dacht Siem, maar opletten moest je wel! Hij herinnerde zich maar al te goed hoe ze ooit bijna een heel nest, met dertien patrijzeneieren, hadden platgewalst. Deze vogels nestelen bij voorkeur in het graan op de grond en zijn bijna onzichtbaar. Pas als je vlakbij bent hoor je de patrijzen roepen, terwijl ze verschrikt opvliegen. Ook grote zwerfkeien konden soms problemen opleveren. Heel lang geleden waren deze grote stenen, na de ijstijd met het smeltende gletsjerijs uit Scandinavië, rollend in Drenthe terecht gekomen.

Baan na baan werd gestaag geoogst. Siem voelde zich sterk en blij: hij hield ervan om op deze machine te rijden. Lekker in de open lucht, midden in de typische geur van pas gemaaid tarwe. Het was wel bloedheet en af en toe wiste hij het zweet van zijn voorhoofd. Gerben, die zich eigenlijk een beetje verveelde en last had van de hitte, pakte zijn mobieltje en ging expres achterstevoren op de grote bijzitstoel zitten. Hij belde naar zijn vriendinnetje in Groningen. 'O ja?' hoorde Siem boven het gebrul van de motor uit, 'Is het warm in Groningen? Nou je wilt niet weten hoe het hier is, hoor! Ik zit naast Siem, op een oude open maaidorser, midden op het tarweveld van zijn vader. Wat een baan...'
    Siem begreep dat dit gesprek wel even kon duren en hij concentreerde zich weer op het veld. Hij probeerde in te schatten wanneer hij weer een draai moest maken met de maaidorser.
    Plotseling zag hij iets vreemds aan het tarwe, zijn ogen vernauwden zich tot spleetjes en hij schoot overeind.

Toen gebeurde alles tegelijk: zonder zich te bedenken trapte Siem vol op de rem, de motor sloeg abrupt af en Gerben, die niets had zien aankomen, vloog half over de motorkap. Waar een tel geleden nog zwaar geronk van de enorme motor klonk, heerste nu ineens diepe stilte. Het enige levensteken in de verre omtrek was de snelle, ijle roep van een torenvalk hoog in de lucht.

Siem reageerde er niet op, hij hoorde de valk niet eens. Voor zich zag hij de vervulling van een droom, die hij al lang in stilte koesterde. Verwonderd keek hij neer op een... prachtige graancirkel!

Genieten van de graancirkel

'Siem! Je bent niet goed snik man! Ik had mijn nek wel
kunnen breken...' Geschrokken en nijdig krabbelde
Gerben terug in de cabine. 'Zou je niet eens wat zeggen?
Je hebt me zowat gelanceerd, klojo!'
Siem staarde nog steeds als gehypnotiseerd voor zich uit
en omdat er geen reactie kwam, volgde Gerben zijn blik.
'Nee maar, krijg nou alles...' De anders zo welbespraakte
student was met stomheid geslagen. Intuïtief legde Gerben
zijn hand op de schouder van zijn vriend. Langzaam
draaide Siem zijn hoofd naar Gerben toe: 'Dit moet vader
zien', was alles wat hij zei.

'Dat lijkt me echt geen goed idee', zei Gerben, die van de
verbazing bekomen was. Hij kende meneer De Jong al zijn
hele leven en hij wist goed wanneer je hem maar beter niet
kon irriteren.
Aan alles was merkbaar dat De Jong zich grote zorgen
maakte over de oogst en het mogelijk omslaan van het
weer. Hij had hem al een aantal keren gespannen naar de
lucht zien kijken. 'Ik denk niet dat je vader hier de lol van
inziet hoor! We kunnen maar beter gewoon doorrijden,
het graan zo goed mogelijk uit de cirkel oogsten en net
doen of er niks aan de hand is.'
Siem hield zijn ogen strak gericht op de graancirkel vlak
voor zich en schudde beslist zijn hoofd. 'Nee Gerben, hier
gaan we niet overheen', zei hij. 'Dat kan toch niet... Kijk
nou, dit is fantastisch!'

Opeens begon Siem hardop te lachen en keerden de pretlichtjes in zijn ogen terug. Diep vanbinnen had hij gehoopt dat zoiets ooit op hun land zou gebeuren. Siem sprong van de maaidorser af en liep, bijna eerbiedig in de richting van de graancirkel. Aan de rand van de formatie bleef hij even staan en keek in de rondte. Het graan zag eruit of het met liefde was neergebogen en het dikke pak aren zag er een beetje uit als een mooi gevlochten mat. Het viel Siem meteen op dat er nergens sporen te bekennen waren. Hij zag geen voetstappen of achtergelaten gereedschappen. Niets wees erop dat er mensen aanwezig waren geweest. Het enige wat hij zag was een egale volmaakte cirkel van tarwearen. Toen bukte hij zich, deed zijn schoenen en sokken uit en stapte met blote voeten de cirkel in. Hij deed een paar stappen tot hij in het midden van de cirkel was en stak met een triomfantelijk gebaar zijn armen in de lucht, terwijl hij juichend uitriep: 'Wauw! Een graancirkel in óns veld en ik ben de eerste die hem ziet!'

Hij liet zich spontaan op zijn buik in het graan vallen en probeerde met zijn armen en benen wijd gespreid, zoveel mogelijk van het graan te voelen. Hij sloot zijn ogen en voelde de zon op zijn lichaam branden. Dit gevoel was zelfs nog beter dan even snel een duik nemen in het bosmeertje, tijdens de lunchpauze. Het leek wel of het in de graancirkel, zo laag bij de grond, nog warmer was dan daar buiten.

Hoe had die graancirkel hier zo snel kunnen komen? Gisteravond, na achten, was zijn vader nog op dit stuk land geweest. Als er toen al een graancirkel lag, dan had hij die beslist gezien. Thuis zou dat ook niet ongemerkt voorbij zijn gegaan. Even moest Siem grinniken. In gedachten hoorde hij zijn vader thuis al tekeer gaan. Het betekende dus dat de graancirkel tussen acht uur gisteravond en nu gemaakt moest zijn...

Siem hoorde alleen nog hoe de wind zachtjes door het staande graan om de cirkel heen ruiste en genoot met volle teugen.

Gerben, die absoluut geen zin had in gedonder, besloot ter plekke om meneer De Jong met zijn mobieltje te bellen om te overleggen. Tot zijn ergernis werkte het telefoontje niet, zelfs de display gaf geen beeld. Zijn gedachten gingen vliegensvlug: gisteravond had hij zijn mobieltje opgeladen, het apparaat was nog vrij nieuw en daarnet deed hij het nog. Mooie boel, dacht Gerben, en zijn vriendin had hij vanavond ook nog wel wat uit te leggen. Na meerdere pogingen gaf Gerben het op. Hij liep naar Siem en zei: 'Kom joh, het is wel mooi zo, laten we alsjeblieft verder gaan. Zo meteen komt je vader en geloof me, die zal niet blij zijn.'

Siem wilde er niks van weten. Hij lag nog steeds in de cirkel en zei met rustige stem: 'Als je verder wilt gaan met oogsten, dan zul je over mij heen moeten rijden. Ik ben niet van plan om ook maar één millimeter opzij te gaan. Er wordt geen graan geoogst, totdat mijn vader de graancirkel heeft gezien.'

Gerben gaf het op. Hij besloot om dát te gaan doen, wat Siem oorspronkelijk van plan was: een verkoelende duik in het meertje nemen. Gerben griste Siems handdoek van de maaidorser en beende, met zijn lange stelten, richting bosmeertje.

10

Op zoek naar informatie

'Papa, kunnen we vandaag alsjeblieft even langs de bibliotheek gaan? Ik wil een boek over graancirkels lezen, misschien kan ik daar wat antwoorden vinden.' Tomas keek zijn vader aan. Hij verwachtte niet dat zijn vader daar bezwaar tegen zou hebben.

Thuis hadden ze heel wat boeken over allerlei verschillende onderwerpen. Tomas snuffelde graag in de boekenkasten. De meeste boeken waren echter in het Engels, of zo ingewikkeld dat hij er niks van begreep. Zelf had hij ook al vrij veel boeken gekregen: leesboeken natuurlijk, maar ook speciale boeken over onderwerpen die hem interesseerden, zoals de Grote Piramide van Gizeh in Egypte en een boek dat sterren en planeten behandelde.

'Eigenlijk komt dat vandaag niet zo goed uit', zei Tomas' vader. 'De fiets moet naar de fietsenmaker en er zijn nogal wat boodschappen. Kan het niet tot morgen wachten?' Tomas' gezicht betrok: 'Jij hebt toch ook wel eens iets dat je gelijk wilt weten, dan rust je ook niet voordat je het antwoord hebt. Geen boek of internetsite is dan nog veilig voor je! Weet je nog die keer dat je per se wilde weten in welk jaar de stenencirkel van Stonehenge nou echt gebouwd is?'

Tomas wist dat het op het randje was wat hij nu deed, maar hij vond het gewoon niet eerlijk. Zijn moeder ging zonder pardon naar Engeland als ze dat wilde, zijn vader zat soms dagen met zijn neus in de boeken en zijn zusje kreeg in alles haar zin, volgens hem. Het enige wat hij wilde was nu even naar de bibliotheek om iets op te zoeken en dan kreeg hij te horen dat het niet uitkwam. 'Wat kijk je chagrijnig Tomas', zei zijn vader. 'Ben je soms met je verkeerde been uit bed gestapt?' 'Hmmm, dat weet je best en dat heb je aan jezelf te danken...' had Tomas geantwoord. 'Jij hebt me vannacht wakker gemaakt door recht in mijn gezicht te schijnen met de zaklamp. Als je naar de wc moet kun je toch gewoon het ganglicht aandoen?' Zijn vader haalde zijn wenkbrauwen op: 'Hoezo? Ik ben er helemaal niet uit geweest vannacht, bovendien weet ik heel goed waar het lichtknopje zit, hoor.' Tomas en zijn vader keken elkaar vragend aan. 'Je zult het wel gedroomd hebben, Tomas.'

Tijdens het ontbijt had Tomas' vader toch een nieuw plannetje bedacht: 'Weet je wat', zei hij, 'als ik jou nou eens afzet bij de bieb en dan met Sterre verder ga om alles te regelen. Na anderhalf uur ontmoeten we elkaar weer bij de fietsenmaker aan het eind van de Hoofdstraat. Is dat misschien een goed idee?' Tomas vond het een strak plan.

De bibliothecaresse was erg vriendelijk en nam Tomas mee naar de afdeling met mysterieuze en buitenaardse onderwerpen, omdat hij na uitgebreid zoeken bij de boeken voor kinderen van zijn leeftijd niets kon vinden over zijn onderwerp. Tomas vroeg zich af wat graancirkels en buitenaardse zaken met elkaar te maken hadden, maar misschien zou hij daar later achterkomen. Hij zocht een paar boeken uit en nam ze mee naar de gemeen-schappelijke leestafel.

Een boek meldde dat alle graancirkels al jaren door twee

bejaarde Engelse boeren werden gemaakt. Tomas kon niet begrijpen dat niemand hen ooit betrapt had. Er stond ook nergens een verklaring hoe zij in één nacht meerdere graancirkels konden maken, die ook nog eens ontstonden op locaties die ver van elkaar af lagen.

In een ander boek stond dat graancirkels gemaakt werden door vliegende schotels, of ufo's. De figuren in het graan waren, zonder enige twijfel, afdrukken van het onderstel van een ruimteschip. Tomas moest hier een beetje om lachen en dacht er zo het zijne van. Maar ja, echt zeker wist hij dat natuurlijk niet.

Het derde boek verkondigde dat alle graancirkels door de wind gemaakt werden. Een nogal ingewikkeld verhaal dat er op neerkwam dat een draaiende wind met genoeg kracht het graan neer kon leggen. Soms zou de wind dan geholpen worden door zogeheten bolbliksems. Tomas wist dat harde wind veel schade aan de korenvelden kon aanbrengen. Op het jeugdjournaal had hij beelden gezien van enorme verwoestingen, maar of de wind ook zulke prachtige en ingewikkelde figuren kon maken?

Hij zuchtte eens diep en sloeg het boek dicht. De bibliothecaresse kwam naar Tomas toe: 'Lukt het een beetje?' vroeg ze vriendelijk.

'Nee, maar ik weet niet eens of het echte antwoord wel bestaat', zei Tomas bedachtzaam. 'Mijn moeder vertelde dat veel mensen op zoek zijn naar het juiste antwoord en dat er veel tegenstrijdige berichten zijn.'

De bibliothecaresse schoot in de lach: 'Tja, maar dat maakt het nou juist zo spannend! Er staan nog een paar boeken op de volwassenenafdeling die je mogelijk interesseren, maar meestal lenen we die niet uit aan kinderen.' Ze keek Tomas nog eens goed aan: 'Dat kun jij wel aan, kom maar mee, dan zal ik je de weg wijzen.'

Tomas liep achter haar aan, tussen de kasten vol boeken door, op weg naar de volwassenenafdeling.

Met een geoefende blik in haar ogen liet de bibliothecaresse haar hand langs een rij boeken glijden. Plotseling stopte zij bij een lang lichtblauw boek. 'Ha, hier is het!' Ze haalde het uit de kast en gaf het aan Tomas. 'Ik heb hier ook nog een boek in het Engels. Ik denk niet dat je de tekst snapt, maar onder elke foto staat de datum waarop de graancirkel is gevonden en ook de plaats. Het heet 'Vital signs', dat betekent zoiets als 'Belangrijke aanwijzingen'. De schrijver, Andy Thomas, is al jaren en jaren bezig met onderzoek. Dit boek bevat ongelofelijk veel informatie. Zelf heb ik het met grote belangstelling gelezen.'

Dankbaar nam Tomas ook dit boek aan en liep terug naar de leestafel.

Als eerste pakte Tomas het blauwe boek: 'Graancirkels – een wereldwijd mysterie'. Het zag er aantrekkelijk uit: begrijpelijke tekst en prachtige foto's. Kennelijk ging de schrijfster elk jaar naar Engeland om daar graancirkels te bestuderen.

Stel je voor, dacht Tomas, dat mama haar zou tegenkomen... Tomas bekeek het boek nog eens goed. Het leek wel of hij het eerder had gezien, maar waar? Natuurlijk! Dit was het boek dat papa aan mama cadeau had gedaan en waardoor ze nu in Engeland zat. Tomas had het boek thuis wel eens zien liggen, maar toen was hij nog niet zo geïnteresseerd als nu. Hij begon te lezen en al snel vergat hij alles om zich heen.

'Pas maar op, jij verleest je verstand nog eens.' Ineens stond zijn vader naast hem en keek lachend op hem neer. 'We hadden toch afgesproken dat je een half uur geleden bij de fietsenmaker zou staan? We hebben daar een hele poos op je staan wachten.'

'Sorry pap, ben je boos?' Tomas vond het echt vervelend dat de tijd zo voorbij gevlogen was.

'Nee joh, even maar, vooral toen Sterre begon te jengelen. Ik vind het juist leuk dat je het zo serieus opneemt. Wat voor boek heb je daar?' Hij pakte het van de tafel en keek naar het kaft: 'Nee maar... je lijkt toch meer op je moeder dan ik dacht!'

Ze keken elkaar aan en schoten tegelijk in de lach.

'Ik heb Sterre beloofd dat we straks naar het zwembad gaan. Zet de boeken terug, dan gaan we de zwemspullen ophalen.'

Normaal gesproken was er niets dat Tomas liever deed dan zwemmen, maar hij vond het lastig om deze boeken los te laten.

De bibliothecaresse, die gelukkig niet zoveel te doen had in deze vakantietijd, zag zijn tweestrijd: 'Het is mogelijk om de boeken op een toeristenpasje mee te nemen, hoor. Je moet dan alleen even een formuliertje invullen en dan mag je ze een week lenen.'

'Alsjeblieft pap, mag dat?' Tomas keek zijn vader hoopvol aan.

'Natuurlijk joh, fijn voor je' Tomas' vader glimlachte vriendelijk naar de bibliothecaresse. 'Ga maar vast mee om het formulier in te vullen, dan zoek ik nog even een voorleesboekje uit voor Sterre.'

Nadat alles geregeld was liepen Tomas, papa en Sterre, mét de boeken, de bibliotheek uit.

De rest van de middag brachten ze een heerlijke tijd door in het zwembad. Tomas leerde Sterre hoe ze haar armen moest bewegen om vooruit te komen in het water en toen ze daar geen zin meer in had, gooiden ze, samen met papa, joelend met waterbommetjes heen en weer.

Het was pas 's avonds, na het eten, dat Tomas weer tijd had om in de boeken te kijken.

11

Siems vader is boos

Siem hoorde de grote stappen niet die snel dichterbij kwamen. Hij kreeg zijn vader pas in de gaten toen die zich woedend over hem heen boog en hem aan zijn tuinbroek omhoog sleurde. 'Ben je helemaal bedonderd? Kan ik dan niets aan je overlaten?' Boer De Jong trok en schudde driftig aan Siem. 'Je gaat toch niet als een klein kind in een veld liggen, dat hoognodig gemaaid moet worden? Weet je wel wat dit allemaal kost? De afspraak was dat jullie door zouden werken tot ik terugkwam, en kijk nou...' Hij was helemaal rood aangelopen en raasde maar door over verantwoordelijkheid, vertrouwen, geld en alle stokpaardjes die hij bedenken kon.

Boer De Jong was over het algemeen een aardige en zorgzame man; hij hield veel van zijn gezin en zijn bedrijf. Alleen als daar iets, in zijn opinie, erg fout ging, konden de stoppen wel eens doorslaan. Siem wist dat het zover was, sloeg zijn ogen neer en liet de woordenstroom gelaten over zich heen komen.

'Waar is die waardeloze Gerben eigenlijk, die had op z'n minst toch de verstandigste kunnen zijn?' zoekend liet hij zijn blik over de omgeving gaan. 'Wel alle...'

Eindelijk had hij de graancirkel ontdekt, waar hij middenin stond. De onophoudelijke woordenstroom stokte plotseling en van verbazing liet hij ook zijn zoon abrupt los. Gelukkig werd Siem opgevangen door de zachte graanmat.

Met grote passen en een verbaasde uitdrukking op zijn gezicht banjerde de boer door de cirkel.

Siem had zijn vader pas nog horen praten over het fenomeen graancirkels: als er ooit zoiets onzinnigs in zijn velden aangetroffen werd, zou hij er direct met de maaidorser overheen rijden. Desnoods zou hij er persoonlijk met de grasmaaier overheen gaan! Ook zou hij degene die de schade had aangericht, aangeven bij de politie, maar niet voordat hij hem zélf een lesje had geleerd... 'Ik zal ervoor zorgen dat ze zoiets nooit meer doen', had hij dreigend gezegd.

Dat was voordat zijn vader een echte graancirkel in zijn eigen veld had. Siem hoopte dat hij de schoonheid en de kracht van deze cirkel kon zien.

'Mooi hè, pap?' vroeg Siem zacht, terwijl hij opkrabbelde. Boer De Jong draaide zich om en Siem zag meteen dat hij ernaast zat. Met twee grote stappen was De Jong bij zijn zoon.

'Mooi...! Mooi? Noem je dat mooi? Kijk eens naar dit graan!' Hij tilde ruw wat van het neergelegde graan op. 'Dit kan op de mesthoop! Het is niet meer te oogsten. Dit grapje kost me handenvol geld. Heb jij dit soms gedaan? Heeft De Vries je hiertoe aangezet, om te kijken hoe ik zou reageren? Heeft Gerben je ook nog een handje geholpen? Wat zullen jullie gelachen hebben, nou denk maar niet dat je zo een telescoop kunt verdienen.'

Boer De Jong liep naar de maaidorser en zocht geïrriteerd naar spullen die mogelijk gebruikt waren bij het maken van de graancirkel. Een plank bijvoorbeeld, met aan weerszijden een touw eraan, zodat het mogelijk is met de plank onder je voet te lopen.

Gerben had het kabaal helemaal bij het meertje gehoord.

Hij klauterde onmiddellijk op de oever, kleedde zich aan zo snel als hij kon en rende richting graancirkel. 'Nee buurman', zei Gerben nog een beetje buiten adem, 'daar zul je niets vinden en ergens anders ook niet. Ik zal je zeggen wat er is gebeurd.' Hij vertelde precies hoe alles gegaan was, ook dat hij zich rot schrok toen hij bijna uit de maaidorser werd geslingerd. Tot slot deed hij Siem nogal beeldend na: totaal verbijsterd en met open mond starend naar de graancirkel. Gerben was zo verstandig om Siem even niet aan te kijken.

Boer De Jong kalmeerde langzaam en keek eens goed naar zijn zoon. Hij zag dat Siem zich erg ongemakkelijk voelde. Mogelijk had hij de hele situatie toch verkeerd ingeschat? Misschien had Siem er echt niets mee te maken en was het gewoon domme pech dat hij als eerste de graancirkel ontdekte, waardoor het voor een buitenstaander leek alsof hij hem gemaakt had.

'Heb jij dit écht niet gedaan, Siem?' vroeg hij.

'Nee pap', antwoordde Siem naar waarheid. 'Ik heb hem niet gemaakt, alleen ontdekt. Ik geloof ook niet dat hij door mensen gemaakt is. Er zijn helemaal geen sporen te vinden en die zouden er wel moeten zijn na die regen- en onweersbui van vannacht.'

Boer De Jong zuchtte eens diep en sloeg zijn arm om de schouder van zijn zoon. 'Ik weet heus wel dat je er vannacht uit bent geweest en dat waardeer ik. Het deed me juist goed dat je de verantwoording nam en naar de koeien ging kijken; kennelijk was alles in orde. Het viel me daarom extra rauw op mijn dak toen ik je daar als een kleine jongen in het graan zag liggen.'

Siem wist maar al te goed dat zijn vader niet zo makkelijk een complimentje gaf, daarom waardeerde hij het nu extra. Zeker toen hij ook nog zei: 'Laten we die cirkel maar even laten voor wat hij is, we gaan eerst thuis wat eten. Vanavond komt gelukkig de maaidorser terug en morgen na het middaguur kunnen we met dubbele kracht de rest oogsten.' Peinzend keek hij naar Siem: 'Het verbaast me trouwens dat jij ziet dat er geen mensen-sporen zijn. Straks ga je me nog vertellen dat je vannacht een vliegende schotel hebt gezien, die de cirkel maakte.'

Siem kreeg er kippenvel van: dat was nou precies waar hij aan dacht...

12

Tomas leest de bibliotheekboeken

Eindelijk was het zover dat Tomas weer in de bibliotheekboeken kon duiken. Papa bracht Sterre naar bed en las
haar een verhaaltje voor.

Na enige aarzeling begon hij met het Engelse boek.
Hij had in de bieb al gezien dat er lappen tekst in stonden
die voor hem onbegrijpelijk waren. Natuurlijk kende hij
wel wat Engelse woorden en een paar zinnen uit pop-
songs, maar dit was duidelijk geen kinderboek. Al snel
belandde hij in het middelste gedeelte, waar prachtige
graancirkelfoto's stonden, met datum en de vindplaats
erbij, zoals de bibliothecaresse al verteld had. Hij zag
simpele cirkels, zoals bij boer De Vries in het veld en
cirkels met aan weerszijden nog een cirkel, verbonden
door een dunne ring. Vormen die op halters leken,
maar ook de meest prachtige ontwerpen zoals insecten,
pictogrammen, bloemachtige vormen, vierkanten en
spiralen. Er was zelfs een graancirkel bij die eruitzag als
een melkwegstelsel! Tomas herkende het direct. Hij had
al zo vaak foto's gezien met planeten, sterren en sterrenstelsels. Een van de laatste foto's toonde een enorm grote
graancirkel, die uit 409 kleinere cirkeltjes bestond.
Tomas begreep ook uit de tekst eronder, dat de totale lengte
van deze formatie 260 meter was. Hij wist dat de lengte
van een voetbalveld ongeveer honderd meter bedroeg.
Het betekende dat deze ene formatie zo groot was als
tweeënhalf keer de lengte van een voetbalveld. Dat was
enorm!

Toen zijn vader weer beneden was, kwam hij er geïnteresseerd bij zitten. Tomas vroeg honderduit en regelmatig moest een stukje van de Engelse tekst vertaald worden. Het was zoveel informatie dat Tomas eerst maar eens twee glazen sap te haalde.

'Heb je dit ook gezien?' Tomas' vader wees naar een foto, terwijl hij met zijn andere hand het glas aanpakte.

Tomas boog voorover om het beter te kunnen zien: 'Maar dat is..., dat is een gezicht', zei Tomas verbaasd.

'Ja, dat is een graancirkel in de vorm van een gezicht. Hij lag in augustus 2001 in een graanveld vlakbij een grote radiotelescoop. Het leuke is dat degenen die er overheen vlogen en hem ontdekten, niet direct in de gaten hadden dat het om een gezicht ging.'

Tomas' vader draaide het boek ondersteboven. 'Ze kwamen van deze kant aanvliegen en dan kun je niet zien wat de afbeelding voorstelt. Ze zagen het gezicht pas toen de foto's ontwikkeld waren en iemand ze omdraaide. Heel bijzonder was dat er een week later nóg een graancirkel in datzelfde veld verscheen. Dit keer was het geen gezicht maar een soort van boodschap uit de ruimte. Er zijn heel veel geleerden mee bezig geweest om die code te ontcijferen en sommigen denken dat het werkelijk gaat om een bericht van buitenaardse wezens.'

Tomas wist niet wat hij hoorde. Een écht bericht van buitenaardse wezens? Dat was nog eens nieuws! Nu snapte hij ook waarom sommige mensen dachten dat alle graancirkels door ufo's werden gemaakt. 'Zijn er later nog wel eens berichten vanuit de ruimte gekomen?' vroeg Tomas.

'Dat weten we niet zeker', antwoordde zijn vader. 'Een jaar na deze formatie is er nog een keer iets wonderlijks verschenen. Dit keer was het een gezicht van een alien, dat is het Engelse woord voor een buitenaards wezen, met daarbij een boodschap in computertaal. Veel mensen vermoeden overigens dat deze graancirkel een grap was.'

'Zeg eens eerlijk, pap, zou het kunnen? Ik bedoel levende wezens van andere planeten?' Tomas nam zo'n grote slok dat hij zich bijna verslikte.

'Tja jongen, daar vraag je me wat... Je moeder heeft het er vaak over dat er heel wat mensen zijn die op de een of andere manier contact zoeken met iets of iemand in de ruimte.'

Tomas herinnerde zich opeens de grote radiotelescoop bij Westerbork, die ze bezocht hadden toen ze de vorige keer in Drenthe waren. Hij zag de twaalf enorm grote schotels in een lange rij weer voor zich. Al jaren worden zij door mensen bestuurd om een signaal uit de ruimte op te vangen. De gids vertelde dat dit soort schotels over de hele wereld verspreid staan en dat heel veel mensen met onderzoek en experimenten meedoen. Ze doen dit gewoon vanuit hun huis, met behulp van hun eigen computers.

Tomas was diep in gedachten: mensen zochten kennelijk contact met buitenaardsen en stopten er veel tijd en geld in. Op zich logisch, want hij was daar zelf ook heel nieuwsgierig naar. Wat een goed idee, dacht Tomas, als ik op school kan vertellen dat ik zeker weet dat er buitenaardsen zijn! In zijn verbeelding zag hij hoe alle leerlingen van verbazing van hun stoel afvielen...

Het was de wetenschappers al die jaren niet gelukt om contact te maken met buitenaardsen, hoe groot was dan de kans dat buitenaardsen contact zouden zoeken met ons, via graancirkels op aarde? Tomas merkte dat hij steeds meer vragen kreeg, terwijl hij juist op zoek was naar antwoorden.

Hoopvol pakte Tomas het aantrekkelijke Nederlandse boek en dacht natuurlijk even aan zijn moeder. Tjonge, wat had hij haar veel te vragen! Terwijl hij door het boek bladerde, herkende Tomas onmiddellijk een aantal formaties uit het Engelse boek, maar er stond ook veel nieuwe informatie in.

Het hoofdstuk over wetenschappelijk bewijs sloeg hij maar even over, te ingewikkeld, maar naar de geometrie van graancirkels bleef hij een tijdje staren. Papa had al vaak gezegd dat wiskunde, getallen en geometrie erg belangrijk zijn, omdat het een wereldwijde methode is die oplossing kan geven bij grote problemen en die mensen dichter bij elkaar brengt. Tomas begreep niet zoveel van de spannende passertekeningen en helaas was rekenen ook niet zijn beste vak, hij hield nu eenmaal meer van taal. Zo te zien, was er een aantal rechte lijnen en cirkels getekend, in een bestaande graancirkelvorm, waardoor er ineens een totaal nieuwe vorm tevoorschijn werd getoverd.

Tomas' vader zat al een tijdje tevreden in een lekkere stoel zijn eigen boek te lezen en Tomas besloot wijselijk hem niet te storen. Plotseling zag hij halverwege het boek een aantal behoorlijk mislukte foto's. Hij vergat zijn wijze besluit van daarnet prompt en riep: 'Papa, kom eens kijken! Ik geloof dat ze hier per ongeluk een paar verkeerde foto's hebben afgedrukt.' Op een aantal was een vlek te zien, andere waren scherp, maar met een wazige plek of lichtere kleur er dwars doorheen.

Tomas' vader, die plezier had in de nieuwe hobby van zijn zoon, kwam naar de tafel. 'Ja, ik snap dat je dat denkt. Ik had er de eerste keer dat ik ze zag ook moeite mee: zo'n mooi boek en dan zulke rare foto's. Mama heeft me uitgelegd dat deze foto's juist goed zijn. Ze zijn in, of vlakbij een graancirkel gemaakt en die vlekken zijn met het blote oog niet te zien. Pas na het ontwikkelen, of bij een diavoorstelling op de computer, zijn er wonderlijke licht-vlekken aanwezig.'

Ze lazen samen de begeleidende tekst en volgens de schrijfster kwamen die 'dansende' vlekken regelmatig voor. Er waren ook nogal wat mensen die een grote lichtbol boven een veld hadden zien vliegen. Ze waren daar altijd diep van onder de indruk en vaak was daarna een graancirkel op die plaats ontdekt. Er waren zelfs foto's genomen, maar niemand wist er het fijne van.

'Het is bedtijd, Tomas. Je hebt helemaal rode ogen van al dat lezen!' zei zijn vader.

Tomas voelde zijn ogen al een tijdje prikken; het duizelde hem zo langzamerhand.

Toen Tomas' vader hem nog even welterusten kwam zeggen zei hij: 'Droom maar lekker over mooie graancirkels. Het was weer een fijne dag.'

Daar was Tomas het helemaal mee eens. Het laatste waar hij aan dacht, voor hij in slaap viel, was een bijzondere foto van een houtgravure in het Nederlandse boek. Het was een zwart-wittekening uit 1678 van een maaiende duivel in een graancirkel.

13

De maaiende duivel

In zijn slaap gingen Tomas' ogen snel op en neer onder
zijn gesloten oogleden. Hij had een lichte frons tussen zijn
wenkbrauwen, alsof hij ingespannen naar beelden keek die
voorbijkwamen.

*Het is hoogzomer en hij ruikt de bekende geur van rijp tarwe.
Samen met een stel knechten maait hij het graan met een lange
scherpe zeis. Zwoef... tchsss, zwoef... tchsss. Hij voelt het ritme
in zijn lijf, schouders en armen. Ze werken samen op en
kennen elkaar goed. Het is zwaar werk, maar elke vakkundig
geplaatste slag met het maaimes geeft voldoening. De zon is
over zijn hoogste punt heen. Ze hebben nog een paar uur te
gaan, voordat het graan weer te nat wordt in de avonduren.*

*Er komt een mooie kar, met sterke paarden ervoor, de heuvel
afrijden naar het zandpad naast het veld. Op de bok zit de
landeigenaar van het tarweveld, een herenboer uit
Hartfordshire. Hij is grootgrondbezitter, rijk, machtig en alom
gevreesd door zijn onberekenbare karakter. Vlak voor het veld
roept hij zijn paarden bars een halt toe, springt van de bok en
strijkt zijn dure broek in de plooi. Met een arrogante blik in
zijn ogen roept hij de mannen: 'Onmiddellijk hier komen!'*

*Tomas voelt een rilling over zijn rug lopen. Hij werkt al heel
wat seizoenen voor de herenboer en deze toon gaat altijd
gepaard met een onredelijke opdracht. Bij alle knechten in de
wijde omtrek is bekend dat deze man altijd teveel inzet vraagt*

voor te weinig geld, maar soms is iets beter dan niets. Het is al jaren moeilijk om aan werk te komen.
'Ik wil dat jullie het tempo opvoeren, dit veld moet af vandaag. Er zit onweer in de lucht en het weer kan omslaan, zoniet vandaag dan wel binnenkort. Bovendien – en daar weten jullie nog niets van – heb ik nóg een stuk land. Dit betekent enkele hectaren meer werk voor morgen. Ik eis dat jullie het maaien.'

Tijdens de lunchpauze is er terecht gemopperd over de slechte beloning, terwijl er dit jaar juist veel werk is en andere boerenknechten beduidend meer verdienen in de omliggende velden. De mannen weten dat er beter betaald werk voor hen klaarligt, maar ze hebben nu eenmaal een afspraak gemaakt met deze boer. Beloofd is beloofd.

De knechten kijken naar Tomas, die een stap vooruit doet: 'Dat is niet eerlijk!' zegt hij uitdagend. 'We werken al keihard en als u er nog meer bij wilt, zult u ons een beter voorstel moeten doen.' De rijke boer loopt rood aan van drift: 'Wat verbeeld jij je wel, je hebt hier niets in te brengen en wat voor voorstel dan wel?' De jonge knecht recht zijn rug en zegt met heldere stem: 'Beter betalen natuurlijk!' De boer richt zich in zijn volle lengte op: 'Ik heb nog liever dat de duivel mijn veld maait! Eruit jij! Je bent op staande voet ontslagen!'

Die nacht ziet een groot aantal mensen uit het dorpje een vlammende gloed boven het nog ongemaaide veld van de herenboer uitstijgen. Als de rijke boer de volgende morgen zelf gaat kijken, spert hij zijn ogen wijd open en voelt hij zijn knieën opeens knikken. Hij slaat zijn hand voor zijn mond en mompelt: 'Mijn hemel..., wat heb ik gezegd over de duivel?'
Een groot deel van zijn rijpe tarweveld is neergelegd in cirkelvormen.

Zoals dat vaak in dromen gaat, bevindt 'Tomas-de-boeren-knecht' zich opeens in de werkplaats van zijn vriend, die leerling-timmerman is, in hetzelfde dorp. De jongen lijkt een beetje op zijn schoolvriend Bart, maar toch weer anders...

In de werkplaats vertelt Tomas het hele verhaal aan zijn vriend. De leerling timmerman is zo nieuwsgierig dat ze samen onmiddellijk naar het veld gaan. Zodra ze aankomen zien ze de prachtig neergelegde tarwearen in een vorm die door geen mens gemaakt kan zijn. Diep onder de indruk van het verhaal van de maaiende duivel en de graancirkel begint de leerling onmiddellijk aan een houtgravure. Het is een precies werkje: met snelle, regelmatige slagen laat hij zijn hamer op de kop van de beitel neerkomen. De beitel snijdt stukjes uit het hout eronder en langzaam maar zeker ontstaat de afbeelding. Tik... tik... tik...

Tomas werd wakker door de felle klopjes op het hout: tik... tik... tik... Een specht hamerde met zijn scherpe snavel in de boom vlakbij, om wat insecten te vangen. Het eerste zonlicht viel al door het raam naar binnen op zijn bed.

O ja. Nu wist hij het weer: hij lag in zijn bed in het vakantiehuisje in Drenthe! Zijn droom was zó echt dat het waarachtig wel leek of hij er bij was toen dit alles zich afspeelde, op 22 augustus 1678, in het Engelse plaatsje Hartfordshire.

14

Tomas ontmoet Siem

Het was een perfecte dag om naar het bosmeertje te gaan. De zon scheen uitbundig en pas in de late middag zou het mogelijk weer benauwd warm worden. Tomas' vader las rustig de ochtendkrant op het terras, toen Tomas en Sterre lachend aan kwamen lopen uit het speeltuintje, waar ze op het klimrek hadden gespeeld. 'Pap, gaan we nou nog?' klonk het in koor. Een beetje afwezig antwoordde hij: 'Ja jongens, prima. Ga maar vast de zwemspullen bij elkaar zoeken.'

Terwijl Tomas en Sterre snel naar binnen gingen, vouwde hun vader de krant op die hij in zijn handen had. Raar dat er niets in stond over de graancirkel die ze bezocht hadden, dacht hij, zoiets komt toch niet zo vaak voor in Nederland en er zijn toch zeker veel mensen in geïnteresseerd.

Opeens herinnerde hij zich de verontwaardigde blik in Suzanne's ogen toen zij vorig jaar een heel betoog hield over graancirkels en de media. Er werd maar zelden iets over gepubliceerd in de gewone kranten en als het onderwerp op de tv kwam was het meestal niet meer dan een flits. Het gebeurde nogal eens dat het onderwerp opzettelijk belachelijk gemaakt werd. Er werd vooral een beetje hilarisch aandacht besteed aan ufo's, marsmannetjes en nepcirkels.

Suzanne vertelde over een tv-uitzending waarin een

journalist eerst liet zien hoe hij in het geheim, met veel poeha, 's nachts een graancirkel had laten maken door een stel jongens. Daarna nodigde hij een bekende graancirkelonderzoeker uit om deze cirkel voor de camera op echtheid te beoordelen. Natuurlijk had de onderzoeker direct gezien dat die cirkel door mensen was gemaakt, omdat er zoveel schade was aangericht aan het gewas. Later, in de montage, waren allemaal stukken uit het interview geknipt en uit hun verband gehaald, zodat het leek of de onderzoeker er intuinde. Kennelijk dacht de journalist dat het voor de kijkers leuker was om een serieuze graancirkelonderzoeker onderuit te halen en bespottelijk te maken, dan om een gedegen reportage te maken.

'Waar blijf je nou? Wij zijn al een heel eind met inpakken, hoor!' Tomas stak zijn hoofd door het raam en zag zijn vader in diep gepeins op het terras: 'Hé, wie is er hier nou eigenlijk een dromer?' zei Tomas een beetje verontwaardigd.

Zijn vader stak quasi dreigend de krant omhoog: 'Pas jij maar op, zo meteen verdubbel ik ons fietstempo!' Lachend ging hij naar binnen.

Eenmaal op weg zat de stemming er goed in. Sterre zat te zingen in het fietszitje, ze genoot van deze tochtjes. Ze was gek op paarden en daar waren er genoeg van in Drenthe. Het leek wel of elke boerderij een stukje grond over had waar minstens één paard op stond. Veel merries hadden in het voorjaar een veulentje gekregen en Sterre wilde niets liever dan bij elk paard en elk veulentje stoppen en ze een stukje van haar appel geven. Ze waren een paar maal gestopt om de paarden te aaien en nu fietsten ze door het bos, richting meertje.

Er waren heel wat meertjes en vennetjes in deze buurt. Sommige zo klein dat je er maar net in kon staan, andere groter. Het meer waar ze nu heen gingen, was zo groot dat het flink wat moeite zou kosten om de overkant te halen.

Toen ze het bos uitkwamen, herkende Tomas de tarwevelden onmiddellijk: hier waren ze al eerder langsgekomen, op weg naar de graancirkel van boer De Vries. Tomas kon het niet goed verklaren, maar ergens hoopte hij nog een glimp op te vangen van de jongen die hij vorige keer op de trekker had zien rijden. Het leek Tomas geweldig om op zo'n grote machine te zitten..., dan zou hij trots het hele veld doorcrossen. Tomas was dol op raceauto's en kon niet wachten tot hij oud genoeg zou zijn om rijles te nemen.

Hij tuurde ingespannen naar het veld in de hoop dat hij weer een grote machine zou zien, maar er waren geen sporen van activiteit. Of toch...?

Een meter of twintig bij hen vandaan stond een jongen met zijn armen in de lucht hardop te lachen en te springen, terwijl hij heel hard riep: 'Dankjewel, dankjewel.' Tomas moest erom lachen want het was nogal een vreemd gezicht. De jongen stond daar helemaal alleen. Tegen wie sprak hij? Waar was hij zo blij om?

Tomas was al een tijdje langzamer gaan rijden, maar nu stopten zijn voeten plotseling met trappen op de pedalen en zijn adem stokte in de keel. 'Pap, stop!' schreeuwde Tomas zo hard als hij kon.

Zijn vader was gewoon doorgereden en was al een flink stuk voor hem uit. Van schrik kneep Tomas' vader zo hard in zijn handrem, dat zijn achterband een klein beetje omhoog kwam en hij met een piepend geluid tot stilstand

kwam. 'Wat is er in hemelsnaam?' riep hij geschrokken, terwijl hij terugfietste naar Tomas 'Waarom schreeuw je zo? Ik denk minstens dat je een ongeluk hebt gehad!'
'Pap, kijk eens goed naar die jongen daar', zei Tomas.
Zijn vader kneep zijn ogen tot spleetjes om beter tegen de zon in te kunnen kijken.
'Ja, daar staat een jongen en hij is blij zo te zien. Fijn voor hem, maar wat is daar nou voor bijzonders aan? Ken je hem?' vroeg hij.
'Nee, ik ken hem niet. Kijk eens wat beter, zie je niet waar hij instaat?' zei Tomas opgewonden.
Opeens zag zijn vader het ook: 'Hè...? Dat meen je niet! Alwéér..., binnen een paar dagen in dezelfde streek?'
Verrast keken vader en zoon elkaar aan: die jongen daar stond toch echt in een graancirkel!
'Pap, ik wil die graancirkel ook in', zei Tomas stellig. Hij hoopte maar dat zijn vader dat goed zou vinden.
Tomas wist niet dat zijn vader net zo nieuwsgierig was als hij en dat hij nog lang in de biebboeken had gelezen toen Tomas in bed lag.
'We kunnen niet zomaar een veld inlopen zonder toestemming van de eigenaar', zei zijn vader een beetje teleurgesteld. 'En ik zie geen boerderij in de buurt, waar dit veld bij hoort.'

Er verscheen een diepe frons op Tomas' gezicht. Ineens lichtten zijn ogen op en zette hij vastberaden zijn fiets op de standaard. Hij liep in de richting van de greppel die langs het veld liep en bleef aan de rand staan. Vervolgens zette hij zijn handen als een toeter aan zijn mond en riep zo hard als hij kon: 'Hé... hallo... jij daar! Is dit veld van jouw vader?' Tomas draaide zich snel even om naar zijn vader en gaf hem een knipoog. 'Misschien hebben we geluk', zei Tomas zacht.

De jongen in het veld stopte abrupt met zijn vreugdedans toen hij de stem van Tomas hoorde. Hij draaide zich om in de richting van het geluid. Een meter of twintig verder, aan de rand van het veld zag hij drie figuren staan: een vader met twee kinderen. Hij schatte snel in dat de jongen van zijn leeftijd was.

'Had je het tegen mij?' vroeg Siem terwijl hij door de tractorsporen in de richting van Tomas liep.

'Ja, is dit veld van jouw vader? Volgens ons sta je daar in een graancirkel en we zouden er heel graag in willen, maar alleen als het mag natuurlijk', zei Tomas.

De jongen was nu vlakbij en hij zag dat Tomas een beetje gespannen was. 'Dit veld is van ons ja, maar mijn vader is er nu niet. Je mag van mij best even kijken hoor, maar dan moet je wel zorgen dat je in de tractorsporen loopt anders beschadig je het graan', antwoordde Siem.

'Ja, dat weet ik', zei Tomas. 'We hebben een paar dagen geleden ook een graancirkel bezocht in een veld hier vlakbij.'

'Dat moet bij boer De Vries geweest zijn', zei Siem.

Tomas draaide zich om en liep het kleine stukje terug naar zijn vader die, met Sterre op zijn arm, bij de fietsen was blijven staan. 'We hebben toestemming pap. Kom op, we gaan een kijkje nemen.'

Met Siem voorop liepen ze achter elkaar door de tractor- sporen in de richting van de nieuwe graancirkel. Tomas zag al snel dat ook in dit veld twee graancirkels lagen. Ze leken op het eerste gezicht wel wat op de cirkels die ze eerder hadden bezocht. Aan zijn linkerhand lag een grote cirkelvormige ring van een meter of vijftig in doorsnee en waar hij nu stond bevond hij zich aan de rand van een kleinere ring met een volledige cirkel in het midden die de kleine ring aan de onderkant raakte. Het leek wel een beetje op een oog met een pupil erin. Tomas bleef rustig aan de rand staan en keek oplettend: ook hier was het graan zó mooi neergelegd dat het bijna nergens gebroken was. Het lag allemaal één richting op, tegen de wijzers van de klok in.

Voorzichtig stapte Tomas de formatie in en bleef langs de rand lopen om geen onnodige schade aan te brengen. In het midden van de pupilcirkel bleef hij plotseling verrast staan en legde zijn hand op zijn maag. Hij voelde een soort tinteling in zijn buik. Het voelde raar, maar niet onprettig. Hij zag dat zijn vader naar hem keek en zijn wenkbrauwen optrok alsof hij wilde vragen of er iets aan de hand was. Tomas schudde zijn hoofd, alles was prima!

Tomas keek de jongen aan en vroeg: 'Hoe lang ligt die cirkel hier al?'

'Ik heb hem gisteren ontdekt toen we hier aan het oogsten waren', zei Siem.

'Volgens mij heb ik jou eergisteren op een tractor zien zitten, toen we op weg waren naar boer De Vries', zei Tomas.

'Dat kan wel kloppen, grappig: toen wisten we nog van niets!' lachte Siem. 'Mijn vader is er niet zo blij mee, maar ik vind het geweldig. Vandaag heb ik een vrije dag gekregen om te kunnen genieten van de graancirkels. Mijn vader voelde zich een beetje schuldig omdat hij nogal rot tegen me had gedaan. Hij dacht dat ik de cirkel had gemaakt... Binnenkort wordt het veld verder geoogst.'

'Ik zou ook een vreugdedans maken en dankjewel roepen als mij dit zou overkomen', zei Tomas.

Siem werd er een beetje verlegen van, hij voelde zich even betrapt, maar aan Tomas' gezicht zag hij dat de jongen meende wat hij zei.

Opgelucht stak Siem zijn hand uit: 'Ik ben Siem.'

'Ik ben Tomas.'

De jongens gaven elkaar spontaan een hand en maakten samen een blije rondedans in de cirkel.

Tomas' vader zag het tafereel van een afstandje en glimlachte. Hij was ondertussen de grote ring rondgelopen op zoek naar bijzonderheden, zoals mensensporen, maar hij kon niets vinden. Natuurlijk waren zijn ogen niet zo goed getraind als die van de graancirkelonderzoekers, die alle details kennen, maar je kon niet weten.

Hij liep in de richting van de jongens en vroeg aan Siem wie er allemaal al in de cirkel waren geweest.

'Alleen mijn vader, Gerben, die ons helpt, en ik', antwoordde Siem.

'Er is dus nog geen onderzoek gedaan door deskundigen?' vroeg Tomas' vader.

'Nee, ik weet ook niet wie dat zijn of hoe ik die moet bereiken. Ik zou er trouwens graag wat meer over graancirkels willen weten', zei Siem.

'Misschien kan ik je daarbij helpen', zei de vader van Tomas terwijl hij zijn mobiele telefoon tevoorschijn haalde, een naam opzocht en de beltoets indrukte. Hij hield de telefoon aan zijn oor en wachtte even.

Kennelijk lukte het niet, want even later herhaalde hij de procedure.

'Is je batterij leeg?' vroeg Tomas.

'Nee, dat kan niet. Hij heeft de hele nacht in de oplader gezeten en vanmorgen deed hij het gewoon nog. Ik snap het niet, hij doet helemaal niets. Wacht even', zei hij, 'ik heb gisteravond iets gelezen over mobieltjes en camera's, midden in een graancirkel. Die schijnen dan nogal eens op onverklaarbare wijze te weigeren.' Tomas' vader liep de graancirkel uit en belde opnieuw. Dit keer lukte het wel: de telefoon ging gewoon over.

Tomas hoorde hoe zijn vader de graancirkel meldde: waar de cirkel was, dat hij gister pas ontdekt was, de grootte ongeveer en dat er nog nauwelijks mensen in geweest waren. 'Het is erg belangrijk dat u vandaag komt, het veld zal binnenkort geoogst worden', was het laatste dat de vader van Tomas zei voordat hij de verbinding verbrak.

'Pap, wie had je aan de lijn?' vroeg Tomas toen zijn vader de telefoon weer had opgeborgen.

'Dat was Bob de Haas, de voorzitter van de Nederlandse groep graancirkelonderzoekers. Ik heb zijn nummer een paar dagen geleden opgeslagen, het stond op de internetsite. Hij bedankte me en geloof het of niet, hij is op dit moment vlakbij: hij komt er zo aan!'

15

Bob de Haas doet onderzoek

Met piepende remmen kwam de jeep aan de rand van het
veld, vlak voor de greppel, tot stilstand. Een grote stofwolk
steeg op achter de wielen. Vanaf een flinke afstand was
harde rockmuziek uit het open raam te horen.
De deur zwaaide open en een grote man met lang donker
haar en een wilde baard sprong uit de auto. Hij haalde een
grote tas en een heel lange stok uit de achterbak en met
grote passen liep hij het veld in.

Hij stevende recht op de mensen af die daar stonden.
Met uitgestrekte hand liep hij naar de vader van Tomas en
stelde zichzelf voor als Bob de Haas, graancirkelonderzoeker. Ook Siem en Tomas kregen een joviale
handdruk.
'Ik neem aan dat u gebeld hebt?' zei Bob, terwijl hij
Tomas' vader recht aankeek.
'Dat klopt', zei Tomas' vader, 'en dat was nog niet zo
eenvoudig. Mijn mobieltje weigerde dienst terwijl ik in
de graancirkel stond. Eenmaal erbuiten was er niets aan
de hand.'
'Dat gebeurt wel vaker, ik zal daar zo een aantekening
van maken. Wat een meevaller dat ik zo dichtbij was! Ik
had een afspraak bij de buren, om nog wat informatie in te
winnen over hun graancirkel. Wonderlijke samenloop van
omstandigheden.' Bob de Haas keek er een beetje verbaasd
bij. 'Ik wil graag alles weten wat hier is gebeurd, om een zo
goed mogelijk beeld te krijgen van wat zich in dit veld

heeft afgespeeld', ging hij verder.

Tomas' vader wilde vertellen dat hij niet de eigenaar van deze akker was, maar de onderzoeker had alleen nog maar oog voor de graancirkel, waar hij behoedzaam ingelopen was.

'Hmmm, ja, ik zie het al. Dit ziet er netjes uit.' Zonder zich verder nog iets van de andere aanwezigen aan te trekken, liep Bob de Haas verder. Hij maakte eerst een aantal rondjes, waarbij hij zorgvuldig de vorm van de graancirkel volgde. Ook bukte hij zich regelmatig om de grond te onderzoeken.

'Nee, nee, geen moddersporen. Dat is een goed teken', mompelde hij meer in zichzelf dan tegen iemand in het bijzonder.

'Dat heb ik ook al tegen mijn vader gezegd, toen ik de cirkel ontdekte!' zei Siem, die hem op de voet volgde, met gepaste trots.

De onderzoeker keek Siem even aan en zei: 'Dat heb je goed gezien, jongen. Het is fijn om daar zekerheid over te hebben, want modder- of zandsporen kunnen ook later per ongeluk door bezoekers gemaakt worden. Heb je misschien gezien of er iets anders op de grond lag? Wit poeder bijvoorbeeld?'

Siem antwoordde ontkennend.

'Jammer', zei Bob en ging verder met zijn onderzoek. Regelmatig tilde hij wat stengels van het graan op om er onder te kijken en soms noteerde hij enkele gegevens in de simpele schets die hij gemaakt had. Tijdens het hele onderzoek nam hij opmerkelijk veel foto's. Voor sommige foto's lag hij zelfs plat op zijn buik, met zijn gezicht bijna op de grond. Toen alle grondfoto's gemaakt waren, monteerde Bob zijn camera op de lange stok die hij uit zijn auto had meegenomen. Hij zette de stok, mét het fototoestel in top, rechtop en met een slim bedachte afstandsbediening schoot hij weer een flink aantal foto's.

'Dat is om een beeld van boven af te krijgen', legde Bob uit toen hij zag dat de jongens een beetje vreemd naar hem keken. 'Zo kun je iets meer zien van de formatie. Het mooiste is natuurlijk om er overheen te vliegen en dan shots te nemen, maar dat is vreselijk duur. Bovendien moet een vliegtuigje van tevoren geregeld worden en dat lukt niet altijd op zo'n korte termijn.'

Tomas vertelde dat hij vorig jaar in Engeland goed uitzicht had vanaf een heuvel.

'Ja, joh, maar in ons platte landje lukt dat niet. Ik klim zelfs wel eens op het dak van mijn auto om een beter overzicht te krijgen en als ik geluk heb staat er een grote boom in de buurt.'

'Klimt u daar dan in?' vroeg Tomas met twijfel in zijn stem.

'En óf ik daar in klim! Het kan me echt niets schelen wat anderen daarvan vinden, hoor.'

Siem en Tomas schoten tegelijk in de lach. Ze zagen het voor zich: die grote woeste Bob de Haas, behendig van tak naar tak klimmend, met de camera bungelend om zijn nek!

'Willen jullie me helpen met opmeten? Dat is een heel secuur werkje en een paar extra handen zijn heel welkom', zei Bob de Haas, terwijl hij zijn camera neerlegde en een groot rolmeetlint uit zijn tas viste.

'Ja, natuurlijk', klonk het tweestemmig.

'Eerst moeten we de doorsnede van de grootste cirkel meten', zei Bob beslist. 'Jij houdt het meetlint vast en blijft hier staan', zei hij tegen Siem en gaf hem het meetlint.

'En jij', nu keek hij Tomas aan, 'pakt het beginstuk en loopt rustig naar de overkant.'

Tomas begreep onmiddellijk wat hem te doen stond. Hij had zijn vader al zo vaak geholpen met klusjes. Hij pakte het beginstuk van het meetlint aan en begon met rustige, grote passen over het neergelegde graan te lopen. Hij passeerde de middenstip en liep door naar de andere kant van de cirkel. Terwijl hij liep telde hij het aantal passen dat hij zette. 'Een, twee, drie...' geconcentreerd telde Tomas verder. Uiteindelijk stopte hij bij 59. In hele meters gerekend, was de uitkomst waarschijnlijk minder, want bij volwassenen was een stap ongeveer een meter. Tomas wist uit ervaring dat de lengte van zijn stap korter was. Hij had aan het zwaarder uitrollen van het meetlint gemerkt, dat het bijna aan zijn eind was. Precies bij de laatste centimeters op de rol stond hij aan de andere kant van de graancirkel: vijftig meter exact!

Zo werden alle cirkels gemeten: de binnenranden, de buitenranden, hoe ver de cirkels van elkaar verwijderd waren en de afstand tot aan de weg. Alles, maar dan ook alles, werd nauwkeurig genoteerd. Toen de klus geklaard was, stopte Bob de Haas met een tevreden gebaar het potlood achter zijn oor.

Tomas keek met grote ogen naar het volgende onderdeel: Bob had twee L-vormige, koperkleurige staafjes van nog geen halve meter uit zijn tas gehaald. Hij hield de korte kant van elk staafje losjes in zijn tot vuisten gevormde handen en liep er in een kalm tempo mee door de graancirkel. Zijn bovenarmen hield hij licht tegen zijn bovenlichaam aangedrukt en zijn onderarmen maakten een haakse hoek naar voren. Zo wist hij zeker dat de beide staafjes rustig vooruit wezen. Hij leek vaste patronen te lopen. Soms bleven de staafjes een tijd roerloos vooruit wijzen en soms bewogen de staven helemaal uit zichzelf, naar buiten of naar binnen. Toen Bob bij het midden van de cirkel kwam, klapten de staven zelfs zó hard naar binnen dat ze tegen elkaar aantikten, over elkaar heen schoten en een kruis maakten.

Tomas keek vragend naar Siem: 'Wat doet hij?'

Siem reageerde niet. Hij volgde met een goedkeurende blik de bewegingen van de graancirkelonderzoeker.

'Wat doet hij?' fluisterde Tomas weer. 'Weet jij wat dat te betekenen heeft?'

'Wichelroedelopen...' fluisterde Siem, 'dat doen wel meer mensen in Drenthe. Laat maar even, hij moet zich goed concentreren.'

'Ik hoor dat jullie wat vragen hebben?' Bob zat nu op zijn hurken in het boekje te tekenen. 'Een momentje, ik kom zo.' Toen hij klaar was, liet hij de jongens zijn aantekeningen zien. Ze zagen het tekeningetje van de graancirkel met de afstandsgetallen erin, dat ze al kenden, maar nu liepen daar allerlei lijnen doorheen die hij met een rode pen had gemaakt.

'Die rode lijnen zijn de leylijnen die hier lopen. Ze worden ook wel energielijnen genoemd. Omdat we de leylijnen niet gewoon kunnen zien hoop ik ze met de wichelroedes op te sporen.' Bob hield de twee staafjes omhoog.

'Wat heeft dat met graancirkels te maken?' vroeg Tomas.

Bob keek nadenkend van zijn instrumentjes naar Tomas: 'Heel veel plekken op aarde die wij als krachtplaatsen of bijzonder fijne plaatsen ervaren, bevinden zich op leylijnen. Hier in Drenthe zijn bijna alle hunebedden op zo'n energielijn gebouwd, maar ook veel oude kerkjes en grafheuvels. Uit Engeland is bekend dat veel graancirkels op een of meerdere leylijnen liggen, vandaar dat ik dit in mijn onderzoek meeneem.'

'Wauw...' Tomas floot zachtjes. 'En die wichelroedes kunnen de leylijnen opsporen?'

Bob schoot in de lach: 'Nou, niet in hun eentje hoor! Daar is ook een mens voor nodig met ervaring in het wichelroedelopen. Het heeft waarschijnlijk iets te maken met het magnetisme in de aarde en de reactie daarop van deze koperen staafjes. Ze kunnen trouwens ook van messing zijn of een ander metaal, als ze zelf maar niet magnetisch geladen zijn, want dan stoten ze elkaar onmiddellijk af en valt er niets meer op te sporen. Er bestaan ook andere instrumentjes zoals een speciaal gevormde houten roede. Sommige onderzoekers gebruiken overigens liever een pendel voor leylijn-opsporing. Dat is een speciale hanger aan een ketting, maar ook een gewone steen aan een touw werkt... Het belangrijkste is een heldere vraagstelling van degene die pendelt evenals de afspraak die je met je instrument maakt: welke beweging betekent 'ja' en welke 'nee'.'

'Wat bedoelt u daarmee?' Tomas fronste diep.

'Bijvoorbeeld: uitzwaaien van de pendel van voor naar achteren is 'ja' en van links naar rechts betekent 'nee', of omgekeerd natuurlijk, afhankelijk van je eigen voorkeur. Ook met de wichelroedes moet je van tevoren een duidelijke afspraak maken: wat betekent naar buiten draaien en wat betekent naar binnen draaien. Een pendel of een wichelroede kan namelijk ook reageren op iets dat je niet zoekt, zoals water onder de grond of een koperen leiding. Weet je wat, probeer het zelf maar eens.' Bob gaf de wichelroedes aan Tomas en liet hem voelen hoe hij zijn bovenarmen ontspannen langs zijn lichaam kon houden en zijn onderarmen recht vooruit. 'Houd je handen maar in de vorm van een kokertje.' Bob liet de korte poten van de L erin glijden; de lange kanten wezen vanzelf naar voren. 'Niet knijpen', zei Bob, 'maar losjes vasthouden en zorg ervoor dat de lange kant niet op de bovenkant van je hand rust, want dan kunnen de staven geen kant op.'

Tomas liep onwennig met de twee roedes door de graancirkel. Hij moest aan zoveel tegelijk denken dat zijn
concentratie er nogal bij inschoot.

'Nou, ik weet het niet hoor, maar bij mij werken ze niet',
zei Tomas een beetje teleurgesteld. 'Probeer jij het eens...'
Hij gaf de wichelroedes aan Siem.

Zodra Siem begon te lopen en zich op de, voor hem zo
bekende, aarde concentreerde, voelde hij dat de staafjes
begonnen te trekken: 'Ze doen het!' riep Siem verrast.
'Helemaal uit zichzelf, ik doe echt niets...!'

Bob zag dat Tomas een beetje beteuterd keek en zei
bemoedigend: 'De eerste keer is altijd heel onwennig,
ik heb er ook flink mee geworsteld in het begin. Siem is
gewoon een natuurtalent!'

'Ik wil het heel graag leren', zei Tomas ernstig.

'Als je iets heel graag wilt, is de kans groot dat het lukt',
antwoordde Bob met een glimlach.

Het onderzoek was nóg niet klaar. Bob haalde een etuitje
uit zijn binnenzak, waaruit een wonderlijk apparaatje
tevoorschijn kwam: een smal handvat met een dunne
spiraalveer eraan. Aan het eind van de veer zat een ring in
de vorm van een oog.

'Dit is een biotensor', zei hij direct, omdat de vragen al in
de lucht hingen. 'Hiermee kan ik de Bovis-waarde meten.
Alles op onze planeet straalt energie uit: alle levende
wezens, zoals mensen, planten en dieren, maar ook rotsen,
en alle voorwerpen die je maar bedenken kunt. Met dit
apparaatje kunnen we meten hoeveel energie iemand of
iets heeft. Soms worden mensen onverklaarbaar moe in
een graancirkel en dan blijkt de Bovis-waarde, het getal dat
we meten, heel laag te zijn. Het gebeurt ook vaak dat
mensen er juist een enorme energiestoot krijgen; de Bovis-
waarde is dan hoog. Soms is het gemeten getal zo hoog,

zeg maar oneindig, dat we denken dat de graancirkel niet door mensen gemaakt kan zijn.'

Geroutineerd pakte Bob vervolgens een liniaal met enorm veel getalletjes erop uit de tas en hield de biotensor erboven. In de stilte van de graancirkel zagen de jongens hoe het oogje aan de veer boven de liniaal heen en weer bewoog. Toen het helemaal stilstond, noteerde Bob het getal dat de liniaal aangaf en borg de spullen op.

'En?' zei Siem, die popelde om de uitslag te horen.

'Ik word elke keer heel blij hoor, in deze cirkel!'

'Anders ik wel...' grijnsde Tomas.

'Onthoud het gevoel maar, dat is het allerbelangrijkste. Een getal is maar een getal', zei Bob, 'al is het van grote waarde om onderzoek te onderbouwen. Het hoort erbij en daarom doe ik het, punt uit.' Hij zag de teleurstelling bij de jongens: 'Oké, oké, het getal is inderdaad erg hoog, zoals jullie al vermoedden, maar weet dat niet iedereen evenveel waarde aan deze meting hecht.'

Tot slot hielpen Tomas en Siem bij het afsnijden van verschillende bundeltjes graan, in en buiten de cirkels. De aren werden bij elkaar gebonden en kregen per bundeltje een papiertje met een aantekening van de exacte vindplaats en een eigen nummer, voor onderzoek later.

Het viel Tomas nu pas op dat de stengels buiten de graancirkel veel rechter waren dan de platgelegde stengels in de cirkel. Vaag herinnerde hij zich dat hij daarover iets gelezen had in het Nederlandse graancirkelboek.

'Zo, het veldwerk is gedaan en nu wil ik graag je vader nog spreken', zei Bob tegen Siem, die ondertussen goed begrepen had hoe de vork in de steel zat. 'Voor mij en iedereen die geïnteresseerd is in graancirkels is het echt heel fijn dat je de cirkels heel hebt gelaten, Siem, maar ik begrijp het standpunt van je vader ook. Misschien heeft het zin als wij van gedachten wisselen. Hij is heus niet de enige die denkt dat graancirkels voor de grap door mensen worden gemaakt en voor je vader verstoort het de gewone gang van zaken.'

Terwijl Siem en Bob afspraken om samen naar de boerderij te gaan, kwam Tomas' vader met Sterre aanlopen. Zij had een eindje verderop een flinke bos graanstengels geplukt en riep blij: 'Kijk Tomas, het zijn net bloemetjes!' Tomas schrok ervan: 'Dat mag toch niet, dat moet gemaaid worden morgen en daarna gaat het naar de molenaar die het maalt en dan, ehh... naar de bakker die er brood van gaat bakken...' Tomas deed zo zijn best Sterre alles zo snel mogelijk uit te leggen, dat hij haast over zijn eigen woorden struikelde.

'Laat hem maar kletsen hoor Sterre. Het is een mooie bos bloemen', zei Siem lachend. 'En de bakker? Die bakt dan maar een half broodje!'

'Wat denk je, gaan wij nog naar het bosmeer?' vroeg Tomas' vader.

'Nou en of, ik kan wel wat afkoeling gebruiken. Toch had ik dit alles voor geen goud willen missen!' Tomas bedankte Siem en Bob hartelijk.

'Graag gedaan', zei Siem. 'Misschien zie ik je nog, bij het bosmeer of zo. Kom anders eens langs op de boerderij.

Met z'n allen liepen ze naar de rand van het veld en sprongen daar over de greppel. Sterre, met haar enorme boeket, werd er door haar vader overheen getild.

Nadat alle spullen en de lange stok weer in de achterbak verdwenen waren, stapten Bob en Siem in de auto. Met open ramen, veel gezwaai en getoeter stoof de jeep weg.

16

Bij het hunebed

Tomas had heerlijk geslapen. Gelukkig even geen spannende dromen of onverklaarbare lichten. Er was de afgelopen dagen zoveel gebeurd dat hij het nauwelijks kon bijbenen. Voor vandaag stond er niet veel op het programma. Ze hadden in elk geval afgesproken om samen het huisje op te ruimen. Over een paar dagen zou Tomas' moeder alweer terugkomen en het leek zijn vader niet zo verstandig om alles op de laatste dag aan te laten komen. Overal slingerden boeken, de barbies van Sterre lagen onder de tafel waar ze een hutje had gebouwd en in de keuken stond een flinke afwas. Lege flessen moesten verzameld en weggebracht worden.

Tomas kon bijna niet wachten om alle avonturen aan zijn moeder te vertellen. Ze wist natuurlijk al dat hij in die ene graancirkel was geweest, maar van de nieuwe wist ze nog niets! Hij verheugde zich nu al op haar verbaasde gezicht als ze alles zou horen. Hij was een beetje bang geweest dat hij haar erg zou missen deze week, maar door alle gebeurtenissen en de fijne vakantieplek viel dat reuze mee. Natuurlijk wilde hij ook graag haar verhalen horen.

Het was vandaag niet zo warm meer. Er woei een fris windje door de open ramen in plaats van broeierige warmte. Tomas hield van dit weer: het rook zo lekker naar gras en bloemen. Waar hij woonde, stonk het vaak naar industrie en uitlaatgassen. Hij zou best in dit deel van het land willen wonen, maar zijn vader werkte in Rotterdam, de grootste haven van de wereld, op enorme schepen en die had je nu eenmaal niet hier in Drenthe.

Tomas bracht de tas met lege flessen naar zijn fiets. Hij had zijn vader beloofd om ze in de glasbak te gooien bij de ingang van het vakantiepark.

'Mag ik daarna doorfietsen naar het hunebed?' Tomas verlangde ernaar om een poosje alleen op die grote stenen te zitten. Elke keer als je naar het dorp fietste, over het rustige bospad, kwam je er vanzelf langs. Ze waren er al eerder met z'n allen geweest en dat was fijn, maar nu wilde hij wat anders. Gewoon wat tijd voor zichzelf om rustig na te denken en misschien kon hij wel iets bijzonders voelen bij de grote stenen.

Tomas' vader keek even verrast op en zei: 'Dat kan wel, we schieten hier al lekker op. Doe even je horloge om zodat je de tijd in de gaten kunt houden. Ik wil in elk geval dat je voor de lunch terug bent, afgesproken?'

Tomas rende de trap al op om zijn horloge en ook zijn camera te halen.

Het was maar een kleine tien minuten fietsen en er was niemand te bekennen op het fietspad. In een opwelling begon Tomas keihard te fietsen: levendig stelde hij zich voor dat hij meereed in een motorcrosswedstrijd: 'Wrróémmm, wrrróémmm...!' brulde hij zo hard hij kon. Natuurlijk haalde hij de allerbeste coureurs in, scheurde haarscherp door de bochten en liet zijn tegenstanders vér achter zich. Juichend en met zijn armen zegevierend in de lucht, kwam Tomas als winnaar over de finish.

Hij kon nog net op tijd remmen voor het hunebed. 'Oeff..., dat was op het nippertje', mompelde Tomas terwijl hij zijn handen door zijn haar haalde. Door de racepartij stond het alle kanten op.

Een stukje voorbij het hunebed lag een mooi groen weiland. Er stond een pikzwart paard met een lief veulentje. Tomas bedacht zich geen moment: hij haalde zijn camera uit zijn zak en liep naar het weiland toe. Hij was al een tijdje van plan een mooie paardenfoto voor Sterre te maken, gewoon als cadeautje, met een grappig lijstje eromheen. Voor de zekerheid nam hij een paar foto's. De camera gaf een serie korte piepjes en dat betekende dat zijn rolletje vol was. Hij had zoveel foto's gemaakt deze week dat het rolletje eigenlijk sneller vol was dan hij had gepland. Nu moest hij nog een volle week wachten tot hij ze thuis kon laten ontwikkelen en afdrukken.

Opeens bedacht hij zich dat er hier in het dorp ook een fotozaak zat. Als hij het rolletje daar nu heen bracht, dan had hij de foto's over een dag of twee alweer terug. Het dorp was maar een minuut of drie fietsen en Tomas nam de beslissing: hij zou direct gaan. Dat hunebed stond er al duizenden jaren, het zou er ook nog wel staan als hij terugkwam.

Een klein kwartiertje later was alles geregeld en Tomas zag op zijn horloge dat er nog tijd genoeg was om rustig bij het hunebed te zijn. Toen hij zijn fiets op de standaard zette, zag hij dat er nog een fiets stond. Dat is balen, dacht hij, ik had zo'n zin om even alleen te zijn. Hij hoopte maar dat die andere bezoeker hem met rust zou laten.

Tomas liep in de richting van het hunebed en raakte aarzelend de eerste steen aan. Hij deed zijn ogen stijf dicht en hoopte iets te voelen. Bob had immers gezegd dat hunebedden vaak op een krachtplek gebouwd zijn? Tomas kneep zijn ogen nog wat harder dicht en probeerde zich te concentreren, maar hij had geen flauw idee waarop; het lukte niet zo best. Het enige gevoel wat hij kreeg, was het gevoel dat er iemand naar hem keek...

Toen hij zijn ogen opendeed, stond hij oog in oog met een breedgrijnzende Siem.

Tomas reageerde verrast: 'Hé, hallo, dat is ook toevallig zeg!'

'Toeval bestaat niet', zei Siem. 'Je hebt toch gezegd op welk park jullie logeren? Omdat ik toch in de buurt was, besloot ik even langs te gaan. Je vader vertelde me dat ik je bij het hunebed kon vinden. Waar was je trouwens? Ik zit hier al een tijdje.'

'Ik heb even mijn fotorolletje weggebracht', zei Tomas. 'Ik heb wat foto's gemaakt van dat paard daar, voor mijn zusje, en toen was het rolletje vol.'

'Mooi paard is dat hè', zei Siem. 'Dat is Bliksem. Ze is van mijn vader en ik kwam even controleren of alles in orde is hier en om haar wat krachtvoer bij te geven. Ik kreeg rijles op haar totdat het veulentje kwam. Nu moet ik zolang op een ander paard rijden, maar dat paard is lang niet zo lief als deze merrie. Kun jij paardrijden?'

Tomas schudde ontkennend zijn hoofd. 'Paardrijden is een echt meidending', zei hij.

'Ja, tuurlijk', zei Siem. 'En al die dappere ridders en stoere cowboys dan, zeker allemaal watjes, hè? Waarom stond je trouwens net met je ogen dicht te voelen aan die steen?' vroeg Siem.

Tomas voelde zich een beetje betrapt, maar legde toch uit wat hij hoopte te voelen.

Siem trok een diepe denkrimpel in zijn voorhoofd en antwoordde serieus: 'Dat heb ik ook nog nooit gedaan. Kom laten we het samen proberen.'

Op het moment dat hun handen de steen aanraakten, vielen de eerste regendruppels. De lucht was inmiddels helemaal dichtgetrokken en de druppels tikten zacht op de bladeren van de bomen die in een grote kring om het hunebed stonden. Siem keek gewoontegetrouw omhoog en zei: 'Dit wordt een fikse bui. We zullen snel een schuilplaats moeten vinden.'

Vlak voor Tomas wilde vragen hoe hij dat wist, barstte de bui los en kletterde de regen op hen neer. De jongens haastten zich naar de grootste steen van het hunebed en kropen eronder.

De regenbui was kort, maar hevig. Ze zaten beschut en gezellig in hun schuilplaats alsof ze in een tentje zaten. Ze konden de geur van de aarde ruiken, alles om zich heen zien en toch zaten ze droog. Siem haalde een reep chocolade tevoorschijn, brak hem in tweeën en gaf Tomas vriendschappelijk de helft.

'Weet jij eigenlijk wat een hunebed precies is?' vroeg Tomas na een tijdje aan Siem. 'We zijn naar het hunebedcentrum geweest en daar hebben ze ons verteld dat het begraafplaatsen zijn van het trechterbekervolk dat hier ongeveer drieduizend jaar geleden leefde, maar mijn vader gelooft dat niet. Jij komt hier vandaan, misschien weet jij het wel.'

'Ik denk niet dat het begraafplaatsen zijn', zei Siem. 'Sommige mensen zeggen dat het een soort tempels of heilige plaatsen waren, waar dat volk de goden vereerde.'

Tomas dacht daar even over na, het klonk vrij logisch. Misschien was het ook wel zo. Drenthe zat vol mysteriën. Eerst die graancirkels en nu de hunebedden.

'Er zijn ook mensen die zeggen dat het een gevaarlijke plek is en dat je er vooral de rust niet mag verstoren, omdat ze dan achter je aan komen om je te pakken.'

'Wie komen je pakken?' vroeg Tomas geschrokken.

'De Witte Wieven. De Witte Wieven zullen dan achter je aan komen', zei Siem met een stalen gezicht alsof hij het echt meende.

17

De Witte Wieven

Tomas keek zo verbaasd dat Siem ervan in lach schoot:
'Je ziet eruit als een ongelovige Tomas!'
De Witte Wieven... waar had hij dat eerder gehoord deze
week? Ineens brak er een glimlach door op Tomas' gezicht:
'Boer De Vries!' riep hij uit.
'Wat is er met boer De Vries?' vroeg Siem niet begrijpend.
'Boer De Vries had het deze week ook al over de Witte
Wieven toen ik vroeg hoe zijn graancirkel in het veld was
gekomen', zei Tomas. 'Wat zijn Witte Wieven eigenlijk?'
'Oh, dat is een oud volksverhaal', zei Siem. 'Elke keer als
er iets geheimzinnigs gebeurt, zeggen de mensen tot op de
dag van vandaag dat de Witte Wieven ermee te maken
hebben. Mijn moeder vertelde me dat wit eigenlijk een
ander woord is voor wijs. Witte Wieven is dan een
verbastering van wijze vrouwen. Ze kunnen ook voor-
spellingen doen en daarom denken de mensen dat het
griezelige heksen zijn: ze zien iets wat wij niet zien.
We hebben het er op school ook over gehad. Ik kan je het
verhaal wel vertellen als je dat wilt.'
'Graag!' zei Tomas gretig en hij ging er eens lekker voor
zitten met zijn rug tegen de hunebedsteen.
Waar de jongens zaten, was het een beetje donker en
hoog in de lucht hoorden ze een roofvogel schreeuwen.
Het leek erop dat er in de verte een wolf huilde, maar het
was natuurlijk gewoon een hond die jankte.
Siem schraapte zijn keel en begon met ingehouden stem
te vertellen.

*Heel lang geleden woonde er aan de rand van de heuvel een
rijke boer... Zijn dochter Johanna, zijn enige kind, wilde hij
perse uithuwelijken aan Hendrik, de zoon van een andere rijke
boer die enorm veel landerijen bezat.*

*Helaas voor hem was Johanna smoorverliefd op Albert,
de zoon van een arme boer. Albert was ook verliefd op Johanna
en haar vader verbood Johanna om Albert nog te ontmoeten.
Treurig reed Albert op zijn paard de heuvel op. Het was tegen
de avondschemering en de mist begon zich langzaam te
verspreiden... Albert was in gedachten bij zijn geliefde Johanna
en vergat dat zijn moeder hem altijd waarschuwde niet in het
donker bij deze heuvel in de buurt te komen.*

*Daar woonden namelijk de Witte Wieven en die moest je
vooral niet storen. Nooit! Bovendien wist iedereen dat boven op
de heuvel een zeer, zéér, diepe kuil verborgen was en als je daar
eenmaal in viel...*

*Albert realiseerde zich pas dat hij dik in de problemen zat, toen
hij de diepe kuil vlak voor zich zag. Uit het niets doemden
opeens witte figuren op. Ze zweefden met tientallen, griezelig
lachend, recht op hem af. Albert hapte naar adem. Verstijfd
keek hij naar de witte gestaltes die hem tegemoet kwamen.
Hij kon geen kant meer op...*

*Zonder pardon pakten zij Albert en zijn paard op en
draaiden hem om, in de richting vanwaar hij kwam. Krijsend
gaven de Witte Wieven het paard een tik op zijn achterste en
met Albert, half hangend op zijn rug, galoppeerde het paard
terug naar huis. Zo voorkwamen de Witte Wieven dat Albert
en zijn paard voor altijd in de diepe kuil vielen.*

*Thuis hoorde Alberts zus bezorgd het verhaal van haar broer
aan. De volgende dag bakte zij een heerlijke koek en op*

klaarlichte dag bracht Albert, uit dank, de koek op een speciaal bord naar de heuvel. Hij zette hem snel en met bibberende knieën neer aan de rand van de kuil. Nog net verstaanbaar mompelde hij: 'Dankjewel.'

Diezelfde dag was Hendrik op bezoek bij Johanna en haar vader om een huwelijksaanzoek te doen. Johanna barstte in snikken uit en liet duidelijk merken dat ze van Albert hield en niet van Hendrik.

Ten einde raad bedacht de vader van Johanna een slim plan. De twee boerenzoons moesten een proef afleggen: degene die won mocht met Johanna trouwen.

Het plan was als volgt: de jongens kregen de opdracht om 's nachts, in het pikkedonker, te paard naar de kuil van de Witte Wieven te rijden. Ze moesten een braadspit meenemen, je weet wel, zo'n puntige ijzeren staaf met een handvat waar je vlees aanrijgt. Als ze bij de kuil komen, moeten ze de staaf erin gooien en luid roepen: 'Witte Wieven wit, hier breng ik u het spit!' Degene die het eerst terug is wint.

Hendrik en Albert namen de uitdaging aan en Johanna's vader was al zo goed als zeker van de uitkomst: het paard van Hendrik was veel en veel sneller dan dat van Albert.

De beide jongens gingen tegelijk op weg. Al snel had Hendrik een grote voorsprong, maar toen hij in het donkere bos kwam, werd hij doodsbang. Hij keerde zijn paard en sloeg op de vlucht.

Albert was zo verliefd op Johanna dat hij dapper doorreed naar de kuil. Met luide stem riep hij: 'Witte Wieven wit, hier breng ik u het spit!' Hij gooide de staaf in de kuil en verstoorde hiermee de rust.

Gillend en krijsend kwamen de Witte Wieven tevoorschijn. Albert wist even niet wat hij moest doen, maar zijn paard keerde zich onmiddellijk om en draafde weg.

Helaas... de Witte Wieven achtervolgden hen. Toen Albert

weer stevig in het zadel zat, keek hij om, recht in de bloed-
doorlopen ogen van de Wieven. Hij zag dat een van de Wieven
het spit omhoog bracht om hem ermee te doorboren...

Opeens herinnerde Albert zich wat Johanna hem op het
laatst nog stiekem toefluisterde: als ze achter je aankomen,
maak dan sissende geluiden, daar houden ze niet van!

'Tssszzzzzz, tssszzzzzz! Albert siste zo hard hij kon en vlak
voor de Witte Wieven hem te pakken kregen, arriveerde hij bij
de staldeur van Johanna's huis...

Johanna, die natuurlijk gespannen op de uitkijk stond, zag
Albert aan komen draven met de krijsende Witte Wieven op
zijn hielen. Zij hield de deur wagenwijd open voor haar geliefde
en zodra hij erdoor was, smeet zij de deur met een klap dicht.

Woedend gooiden de Wieven het spit achter Albert aan: met
een doffe dreun kwam het in de houten deur terecht.

Albert en Johanna vlogen elkaar dolgelukkig in de armen en de
vader van Johanna hield zijn woord: in de lente trouwden zij.

De dag na de trouwerij trok Albert er met zijn paard op uit
en vond op de stoep van de boerderij het koekbord terug en het
spit, dat op raadselachtige manier uit de deur was verdwenen.
Beide waren in goud veranderd...

En zoals dat vaak in sprookjes gaat: Johanna en Albert
leefden nog lang en gelukkig!

'Mooi verhaal zeg!' zei Tomas toen Siem was uitverteld.
'Weet jij waar die kuil precies is, dan kunnen we er eens
een kijkje gaan nemen.'

Siem keek Tomas bedachtzaam aan: 'Ik weet niet of die
kuil nu nog bestaat. En eerlijk gezegd heb ik daar niet zo'n
zin in. Een verhaal dat zo oud is en waar nog steeds waarde
aan gehecht word... daar moet wel iets van waar zijn.'

'Oh jee', zei Tomas, terwijl hij op zijn horloge keek. 'Ik moet terug naar huis!' Tomas kroop onder de grote hunebedsteen vandaan. Het regende niet meer en hij liep snel naar zijn fiets. 'Zie ik je nog een keer? Dan kunnen we nog iets leuks doen samen!' Siem knikte en zwaaide.

Tomas raapte een dikke stok op en stapte op zijn fiets: 'Witte Wieven wit, hier breng ik u het spit!' schreeuwde hij terwijl hij de stok met een enorme boog in de struiken wierp.

Siem keek Tomas lachend na terwijl hij in de verte verdween en steeds kleiner werd.

18

De foto's zijn klaar

Luid zingend fietsten ze naar het dorp. Zelfs Tomas' vader neuriede mee, iets wat Tomas niet elke dag hoorde. Nog één nachtje slapen en dan... zou mama naar Drenthe komen. Ze waren op weg om een fijn feestmaal en mooie bloemen te kopen. Papa had beloofd om daarna naar de pannenkoekenboerderij te gaan. Het leek hem ook wel wat om vandaag niet te hoeven koken. Bij de bloemenwinkel zochten ze een prachtig boeket uit. 'Waar doen we de bloemen in?' vroeg Sterre bijdehand. In het huisje was alleen een grote emmer en daar pasten ze niet in. Gelukkig was er ook een winkel met huishoudelijke artikelen in het dorp. Sterre zag de mooie glazen vaas het eerst: 'Die vindt mama mooi...!' Ze stond op haar tenen en wees hem met haar wijsvinger aan.

'Dan moet deze vaas het worden', zei hun vader, terwijl hij de vaas uit het schap tilde. Hij keek even vragend opzij naar Tomas en die knikte goedkeurend.

Tomas en zijn vader konden het niet laten om even bij de dvd's te kijken, terwijl Sterre bij de vazen en bloempotjes bleef treuzelen. Zij was van plan voor haar twee nieuwe juffen op school een leuk bloempotje mee te nemen. Zij wilde daar de graankorrels uit haar tarweboeket in zaaien.

Vlak voordat ze de winkel verlieten, kwam Tomas langs een rek met allemaal grappige fotolijstjes. 'Loop maar vast door', zei hij tegen Sterre en zijn vader, 'ik kom zo!'

Tomas koos een lijstje met een balletmeisje erop voor de foto van het paard: dan wordt het toch nog een meidending, dacht hij grinnikend.

≈≈≈

'Ik wil graag een pannenkoek met appel, rozijnen en slagroom', zei papa tegen de serveerster die hun bestelling op het terras op kwam nemen. 'En ik wil er graag een met spek en stroop', zei Tomas. 'Mijn zusje wil een kinderpannenkoek met een clowngezichtje erop.'

De serveerster glimlachte naar Tomas, schreef alles op en zei: 'Ik breng jullie zo meteen even een puzzeltje, het is nogal druk vandaag.' Ze liep de boerderij alweer in om hun bestelling aan de kok door te geven

'Zijn we nu nog iets vergeten voor morgen?' vroeg papa. 'Ik geloof het niet', zei Tomas. 'Kan ik straks nog even langs de fotozaak om te kijken of mijn foto's al klaar zijn?' 'Dat kun je nu wel even doen, de pannenkoeken zijn toch nog niet klaar. De winkel zit hier om de hoek en dan maak ik ondertussen met Sterre de puzzel. Ik ben heel nieuwsgierig naar je foto's', zei zijn vader.

Tomas stond direct op, pakte een briefje van tien euro van zijn vader aan en liep naar de winkel. Hij voelde zich een beetje gespannen. Natuurlijk had hij al eerder foto's gemaakt met mama, maar dit was zijn allereerste eigen rolletje.

De fotograaf herkende Tomas onmiddellijk: 'Ha, de jonge fotograaf!' Hij vergeleek het nummer op de bon, die Tomas overhandigd had, met de nummers op de enveloppen in een grote bak. 'Kijk eens, ik heb ze al klaar.'

Hij maakte de dikke enveloppe open en liet de overzichtsfoto, die bovenop lag, zien. Alle foto's stonden er in het klein op afgebeeld. 'Is dit jouw rolletje?' Tomas knikte.

'Dat ziet er helemaal niet slecht uit, jongeman', zei hij waarderend. 'Er zitten een paar heel leuke bij, vooral deze: een paard met veulen.'

'Gelukkig', Tomas zuchtte bijna onhoorbaar.

'Wat er op deze staat, kan ik niet zo goed zien, het lijkt wel gras van dichtbij.'

Tomas vertelde trots dat het een graancirkel was, maar de fotograaf keek hem niet begrijpend aan. Opeens begon hij te lachen: 'O, zo eentje... Heb je die soms zelf gemaakt met een plank en een touw en daarna een foto genomen?'

Tjonge, jonge, dacht Tomas, flauw hoor... Hij had zin in zijn pannenkoek en hij was hartstikke blij met zijn foto's, dus reageerde hij maar niet op deze opmerking. Tomas betaalde en liep met zijn foto's de winkel uit.

In de boerderij werden de pannenkoeken net naar de tafel gebracht toen Tomas binnenkwam. Die foto's moesten maar even wachten tot na het eten. Tomas wilde niet dat er vieze vetvlekken opkwamen en al helemaal geen stroop!

'Mag ik nou de foto's zien?' Ze waren klaar met eten en Sterre strekte verwachtingsvol haar handjes uit.

Toen Tomas zag hoe kleverig ze waren, keek hij bedenkelijk: 'Als je bij papa op schoot gaat zitten en me belooft dat je er alleen maar naar kijkt... Ik heb ze zelf ook nog niet gezien', zei Tomas terwijl hij voorzichtig de enveloppe opende.

Zijn vader kwam op de lege stoel naast Tomas zitten en hij tilde Sterre op schoot: 'Kom maar, dan kijken we gezellig samen.'

Tomas pakte het stapeltje foto's eruit. De bovenste foto, met het totale overzicht, legde hij direct onderop. Een voor een bekeken ze de foto's.

De eerste was van de grote Boeing op Schiphol, dan een foto van hun moeder, zwaaiend bij de douane. Daarna volgden hunebedden, het vakantiehuisje, de graancirkel van boer De Vries, Sterre met een grote bos graan in haar armen, Siem breed lachend in de graancirkel, het mooie bosmeer en papa met een boek en een glaasje wijn op het terras.

Helaas waren ze niet allemaal gelukt: op een paar foto's, die Tomas in de graancirkels had gemaakt, zaten storende lichtvlekken. Daar baalde hij behoorlijk van. Raar, die andere foto's waren juist zo mooi.

De laatste foto was echt kicken: Sterre gaf een luide kreet toen ze de foto's van de paarden zag. Tomas zag haar blije gezichtje en vergat terplekke de mislukte foto's. Hij dook onder de tafel en pakte het lijstje. Handig stopte hij de foto van het paard met haar veulen erin en gaf zijn cadeau aan Sterre. Ze vloog haar broer om de hals en gaf hem een dikke kus.

Vader keek lachend toe en zei: 'Dat is heel lief van je, Tomas. Ik denk dat mama het ook leuk zal vinden om je foto's te zien, vooral die van de graancirkels. Die mislukte foto's leggen we wel even opzij. Ik denk dat je tegen de zon in hebt gefotografeerd; met fel tegenlicht mislukken foto's nogal eens.'

Tomas had de afgelopen jaren heel wat tips gekregen van zijn moeder, die veel en goed fotografeerde. Hij wist zeker dat hij niet tegen de zon in had gefotografeerd.

Eenmaal terug in het vakantiehuisje pakte Sterre haar twee bloempotjes, liep ermee naar buiten en schepte er met een lepel aarde in. Daarna liep zij naar het boeket dat zij een eindje voorbij de graancirkel had geplukt om er korrels uit te halen. Het viel haar enorm tegen dat alle korreltjes nog zo stevig in het vliesje zaten en met veel moeite peuterde zij er een stel uit. Ze had niet genoeg graan om beide potjes te vullen, dus vulde ze er maar eentje.

De korreltjes werden voorzichtig toegedekt met nog een laagje aarde en daarna goot ze er wat water overheen.
   'Kunnen we nog wat graankorrels halen, ik heb niet genoeg voor allebei de potjes!' zei Sterre tegen haar vader.
'Ik wil een graancirkel voor mijn juffrouwen laten groeien', zei ze er zachtjes achteraan.
   Tomas en zijn vader keken elkaar glimlachend aan.
'Goed hoor lieverd, we kunnen nog best even naar het tarweveld rijden. Er zijn vast nog wel wat korrels over die op de grond zijn gevallen. Bovendien ben ik behoorlijk benieuwd hoe het er nu uitziet. Ik vermoed dat de maaidorser er inmiddels overheen is gegaan.'

Toen ze bij de velden aankwamen, zagen ze direct dat daar hard gewerkt was: het tarwe was verdwenen; er stonden alleen nog maar stoppels op de velden. Tomas' vader parkeerde de auto op het zandweggetje dat naast het veld liep. Hij wist dat hier een brede opgang voor de landbouw-machines was, waar je gewoon overheen kon lopen.
Zo hoefden ze niet over de greppel te springen. Dat was wel zo prettig, want het lange gras dat daarin stond was 's avonds behoorlijk nat.
   'Gaan jullie maar even samen', zei Tomas tegen zijn vader en Sterre. 'Ik wacht hier wel.' Hij had helemaal geen zin om alleen nog maar een vage vorm te zien,

waar eerst de mooie graancirkel lag.

'Dat is goed joh', zei zijn vader begripvol. 'We zijn zo weer terug.' Hij draaide zich om en ging achter Sterre aan, die al onderweg was naar haar nieuwe graankorrels.

Zelfs toen ze al een heel eind weg waren, hoorde Tomas nog het hoge opgewonden stemmetje van zijn zusje.

Tomas keek naar boven, zoals Siem af en toe deed. De laagstaande zon kwam net verblindend achter een grote wolk vandaan. In een reflex kneep hij zijn ogen stijf dicht. Raar... het leek wel of hij geschuifel dichterbij hoorde komen. Hij opende voorzichtig zijn ogen en zag twee gestaltes op zich afkomen: ze liepen helemaal gebogen en een van hen hief een stok op en riep iets in zijn richting. Hadden ze het tegen hem? Snel keek hij om zich heen: er was niemand anders in de buurt en zijn vader en Sterre waren al ver weg.

Tomas voelde zich erg ongemakkelijk. Hij kreeg van schrik bijna de slappe lach omdat hij even dacht aan de Witte Wieven die het op hem gemunt hadden.

Langzaam wenden zijn ogen weer aan de omgeving en tot zijn grote opluchting zag hij dat het gewoon twee oude vrouwen waren die hem tegemoet kwamen lopen.

'Pas op! Niet daarheen gaan!' riep een van de vrouwen en zij wees met haar wandelstok naar het veld. 'Weet je wel wat daar aan de hand is?' Ze klonk een beetje bezorgd.

Tomas' gezicht lichtte op. 'Ja, daar lag een mooie graancirkel, maar nu zie je alleen nog de vorm ervan in het stoppelveld terug. Bent u wel eens in een graancirkel geweest?' vroeg hij.

De vrouw keek geschokt: 'Erin? In een graancirkel bedoel je? Nee... dat is veel te gevaarlijk. Misschien is het wel het werk van een duistere kracht. Nou, ik heb je gewaarschuwd... Goedenavond.'

Zonder op antwoord te wachten liepen de vrouwen zo snel als ze konden weer verder.

Tomas stond ze nog na te kijken toen papa en Sterre er alweer aankwamen.

'Had je een leuk gesprek met die mensen?' vroeg Tomas' vader met een lach.

'Ehh, nou nee, niet echt', zei Tomas. 'Ze waarschuwden me en zeiden dat een graancirkel heel gevaarlijk is. Ze leken echt bezorgd te zijn.'

'Ja, er bestaan nog veel raadsels over graancirkels en veel mensen zijn bang voor het onverklaarbare. Er ontstaan dan al snel allerlei verhalen.' Tomas' vader keek peinzend.

'Nou, wat ik in elk geval weet', zei Tomas, die weer een beetje lachen kon, 'is dat ik me tof voelde in die graancirkel!'

'Dan zou ik dat maar onthouden.' Papa gaf Tomas een aai over zijn bol. 'Kom jongens, we gaan naar huis, het is mooi geweest.'

'Kijk, die ga ik in het andere potje doen.' Sterre hield een klein zakje met graankorrels omhoog zodat Tomas ze goed kon zien.

'Kon je die zomaar uit het veld oprapen?' vroeg hij.

'Nee, deze korreltjes lagen op de plek waar de graancirkel was; daar lagen er nog een heleboel. Papa denkt dat ze al rijp waren en dat ze eruit gesprongen zijn toen de machine eroverheen reed', zei Sterre heel tevreden.

Ze stapten in de auto en in een rustig tempo reden ze terug.

Natuurlijk deed Sterre de nieuwe zaadjes nog in het andere potje voordat papa haar naar bed bracht.

19

Tomas' moeder komt naar Drenthe

'Mama!!!' Sterre was de eerste die haar moeder in de verte zag staan.

De moeder van Tomas en Sterre stond bij de lopende band waarop de koffers van de passagiers een voor een voorbijkwamen. Ondertussen tuurde zij verwachtingsvol naar het grote raam naast de uitgang, om te kijken of ze al bekende gezichten zag. Toen zij haar kinderen en man ontdekte, begon ze uitbundig te zwaaien.

'Opletten!' riep Tomas heel hard en hij wees daarbij naar de lopende band. Hij kon van deze afstand zien dat haar felroze tas eraan kwam.

Zijn moeder hield veel van die tas. 'Hij is super handig', zei ze altijd, 'iedereen weet dat ik in de buurt ben als mijn tas in de hoek van het graancirkelcafé staat. Bovendien raak ik hem niet snel kwijt. Er zijn maar weinig mensen met zo'n opvallende knalroze tas en dat is maar goed ook!'

Mama haalde haar schouders op en keek vragend naar Tomas. Ze had wel gezien dat hij iets riep, maar ze kon het niet verstaan: ze stonden een flink stuk van elkaar af en bovendien was er ook nog een dikke glazen ruit die hen van elkaar scheidde.

Tomas wees weer naar de rondlopende band en gelukkig begreep zijn moeder het nu. Ze zag haar tas net op tijd vóór hij verdween achter een luik. Ze pakte de tas van de band af, slingerde hem over haar schouder en liep naar een man die nog op zijn koffer stond te wachten. Kennelijk kende ze hem goed, want ze nam hartelijk afscheid van

hem met een stevige omhelzing en drie kussen.
Daarna liep ze snel in de richting van de uitgang.
Zonder problemen kwam ze door het groene poortje van
de douane en liep recht op haar man en kinderen af.

Nog voor ze het lage dranghek voorbij was dat passagiers
en bezoekers scheidde, had Sterre zich al aan haar moeder
vastgeklampt en bedekte haar met ontelbare kusjes.
Daarna maakte zij zich los, deed een stapje naar achteren
en vroeg heel lief: 'Heb je een cadeautje voor me
meegebracht?'

Tomas en zijn vader schoten in de lach toen Sterre
onmiddellijk haar zin kreeg: mama gaf haar een plastic
tasje met in grote letters de naam van een Engelse winkel
erop.

Terwijl Sterre bezig was met het uitpakken van haar
cadeau, gaf mama Tomas een dikke kus. 'Hebben jullie het
fijn gehad met elkaar?' vroeg ze.

Tomas wilde het liefst direct alles vertellen over zijn
ervaringen in de graancirkels, maar daar kreeg hij geen
kans voor want Sterre slaakte een luide kreet.

'Een prinsessenjurk, een echte prinsessenjurk', riep ze
enthousiast. Terwijl ze op en neer huppelde, hield ze een
mooie roze jurk met lange stroken blij tegen zich aan.

Zijn moeder had allang aan Tomas' gezicht gezien dat hij
veel te vertellen had en ze fluisterde hem zachtjes toe:
'Vertel het me later allemaal maar, er is nog tijd genoeg.'
Ze gaf Tomas ook een plastic tasje met daarin een echte
Engelse Mini Cooper. Tomas spaarde deze kleine autootjes.
Dit type, met een Engelse vlag op het dak, had hij nog niet.
'Ik heb voor jullie alledrie ook nog een mooi T-shirt
gekocht met de afbeelding van een graancirkel erop.'

Toen draaide ze zich om en omhelsde haar man.
Even later pakte hij de tas van haar over en zuchtte eens

diep toen hij het gewicht van de tas voelde.

'Wat zit daar in? Heb je lood meegenomen uit Engeland?' vroeg hij en zette de tas met een plof weer neer.

Ze lachte geheimzinnig, maar zei niets.

De vader van Tomas en Sterre liep om haar heen en deed net of hij iets zocht.

'Is er iets?' vroeg ze.

'Nou ehh, ik kijk alleen of je voor mij ook een tasje met een cadeautje hebt', zei hij verwachtingsvol.

'Nee, ik heb geen plastic tasje voor jou', antwoordde ze. 'Jouw cadeau zit in de tas, daarom is hij zo zwaar. Het is iets wat je heel graag wilt hebben: een fantastisch dik boek over de Grote Piramide van Egypte! Dan kun je vast gaan studeren voor onze reis naar Egypte volgend jaar. We willen natuurlijk graag weten waarom die piramide gebouwd is, maar omdat je zo ongeduldig bent moet je de zware tas nu zelf dragen...'

Iedereen lachte om het beteuterde gezicht dat papa trok. Sterre en Tomas wisten best dat hun ouders elkaar alleen maar plaagden.

Net toen ze naar de uitgang van het vliegveld wilden gaan, riep een mannenstem achter hen heel hard: 'Suzanne!'

Tomas' moeder draaide zich om en stak haar hand op naar de man die aan kwam rennen. Hij wapperde met een papiertje in de lucht: 'Je hebt alleen mijn Engelse mobiele nummer, maar nog niet het Nederlandse. Het staat op dit briefje.'

'Jongens, mag ik jullie voorstellen... dit is Jort Banning. Hij is zo'n beetje de bekendste graancirkelonderzoeker in Nederland. Van hem heb ik heel veel geleerd de afgelopen dagen.'

Jort gaf iedereen een hand, ook aan Sterre die na alle opwinding een beetje verlegen achter haar moeder stond.

Tomas keek Jort eens goed aan. Hij had sterk het gevoel dat hij deze man ergens van kende. Waar had hij dit gezicht eerder gezien? Opeens wist Tomas het: in het blauwe boek van de bieb stond een foto van hem. Hij was écht beroemd... en nu stond hij daar bij zijn moeder! Het leek Tomas wel wat om met deze man te praten over zijn ervaringen in de graancirkels.

'Bel me snel Suzanne, dan kom ik naar jullie vakantiehuisje in Drenthe. Het lijkt me leuk om na te praten over alles wat we in Engeland hebben meegemaakt. Ik neem wel een lekker flesje wijn mee', zei Jort. Daarna groette hij iedereen hartelijk en liep weg.

Nu was het echt tijd om te gaan. Mama nam Tomas en Sterre bij de hand en samen liepen ze naar de uitgang. De bagage liet ze gewoon staan.

'Vergeet je niet iets?' vroeg Tomas' vader met opgetrokken wenkbrauwen.

'Nee hoor', zei zijn moeder. 'Jij zou zelf je cadeau dragen, weet je nog?'

Lachend liepen ze met elkaar naar de parkeerplaats van het vliegveld. En al snel waren ze op weg naar hun vakantiehuisje.

Onderweg naar Drenthe was het geen moment stil in de auto. Iedereen had zoveel meegemaakt dat het leek of ze elkaar een maand niet gesproken hadden.

'...en Tomas heeft een foto gemaakt van Bliksem en haar veulentje', riep Sterre. 'De foto staat naast mijn bed!' Sterre's stemmetje klonk boven alles uit.

Gelukkig was Tomas' moeder snel van begrip: 'Ik begrijp dat je plezier hebt in je nieuw camera, Tomas?'

'Reken maar!' zei Tomas trots. 'Toen mijn rolletje vol was, heb ik het naar de fotograaf in het dorp gebracht.'

Zijn moeder keek hem verrast aan: 'Wat een goed idee! Ik heb veel foto's gemaakt. Ik stel voor dat we die straks meteen naar die fotozaak brengen. Als ik gebruik kan maken van de snelservice, zijn ze misschien morgen al klaar.'

'De fotograaf is heel snel, want de mijne waren na een dag al klaar', zei Tomas. 'Hij snapt niets van graancirkels, maar hij drukt wel mooie foto's af. Er zijn jammer genoeg een paar foto's mislukt, maar daar kan hij natuurlijk niets aan doen.'

'Wat vind je van het idee om morgen al onze foto's tegelijk te bekijken? Dan houden we één grote voorstelling', zei Tomas' moeder enthousiast.

Tomas moest even slikken, eigenlijk wilde hij zijn foto's direct na aankomst al laten zien. Hij zag de pret in zijn moeders ogen en zei ruimhartig: 'Dat is goed, maar een foto zul je toch alvast zien als je Sterre vanavond naar bed brengt!'

Op hetzelfde moment passeerden ze het provinciebordje van Drenthe: 'Zo, nu zijn we met z'n állen in Drenthe!' zei Tomas' vader tevreden, terwijl hij op het bordje wees.

Ze hadden nog ruim een week om samen vakantie te vieren.

20

Samen foto's bekijken

'Wauw! Zijn dat allemaal foto's uit Engeland?' Tomas keek
verrast naar de zware tas die zijn moeder bij de fotograaf
had opgehaald. 'Hoeveel rolletjes heb je volgeschoten?'
vroeg hij.

'Een stuk of tien', antwoordde ze.

Tomas en zijn moeder zaten samen aan de keukentafel.
Een voor een opende Tomas' moeder de mapjes die ze
eerst netjes op volgorde had gelegd. Vluchtig bekeek zij de
foto's. Soms zuchtte ze even of glimlachte ze, soms knikte
ze bevestigend en dan schudde ze haar hoofd weer.

Tomas zag dat zij erg geconcentreerd bezig was. Hij kende
dit van zijn moeder en hij wist dat hij dan beter even kon
afwachten.

'Niet slecht', zei ze. 'Maar dit is het mapje met foto's waar
ik het meest nieuwsgierig naar ben.' Zij hield de enveloppe
tussen haar beide handen, alsof het bescherming nodig
had. 'Ken je dat gevoel dat je zo benieuwd bent dat je er
bijna niet naar durft te kijken omdat je bang bent dat alles
mislukt is?'

Tomas knikte. 'Dat had ik ook toen ik mijn eigen foto's
ophaalde. Ik vond het zelfs al spannend om naar de fotozaak te gaan. Gelukkig zag ik meteen op de overzichtsfoto
dat de meeste goed waren. Toch was er een aantal mislukt
en daar baal ik van. Ik ben er nog steeds een beetje
teleurgesteld over en ik snap het niet: op een paar foto's
zitten rare witte vlekken. Papa denkt dat ik tegen de zon in
heb gefotografeerd, maar ik weet zeker dat ik daar op let.'

Tomas' moeder keek hem aan en haar ogen gingen stralen van opwinding. Ze vroeg: 'Wat staat er, behalve die vlekken, nog meer op je mislukte foto's?'

Tomas dacht even diep na en zei toen aarzelend: 'Nou ehh, ik geloof dat er alleen maar graancirkels op staan, raar eigenlijk...' Opeens herinnerde Tomas zich het gesprek met zijn vader over de zogenaamd mislukte foto's in het blauwe boek. Hij kon zichzelf wel voor z'n hoofd slaan. 'Mam! Waarschijnlijk zijn die foto's juist goed, ik bedoel... stel je voor... misschien heb ik wel per ongeluk voor ons onzichtbare lichtvlekken in de graancirkel gefotografeerd...' Zonder op antwoord te wachten rende Tomas naar boven om de foto's te halen die hij apart had gelegd.

Het was heel stil aan de keukentafel. Met volle aandacht keken moeder en zoon naar de wonderlijke lichtvlekken op de foto's. 'Heel mooi, Tomas. Echt geweldig! Wat ben je toch een bofkont: eerst twee graancirkels en nu ook nog deze fantastische foto's. Er zijn niet veel kinderen van jouw leeftijd met zo'n ervaring, hoor!'

'Je denkt dus echt...?' Tomas kon het haast niet geloven. 'Ik weet het wel zeker.' Zijn moeder gaf hem een aai over zijn bol en vervolgde: 'Kijk hier maar eens naar', ze rommelde even in haar fotomapjes en gaf Tomas een grote enveloppe. Tomas' opwinding over zijn ontdekking, ging over in ontzag toen hij de ene na de andere foto zag met allerlei lichtspelingen. 'Heb jij al deze lichtvlekken niet gezien, toen je de foto's maakte?'

'Nee, met ons blote oog kunnen we deze vlekken niet zien, al zijn er enkele mensen die dat wel kunnen. Er zijn ook veel mensen die een lichtbol zagen vliegen voordat er een graancirkel ontstond. Ik hoop dat zelf ooit mee te maken, daar verheug ik me op!' Tomas' moeder stond op en liep naar de plank waar ook de bibliotheekboeken stonden. Zij pakte er een boek uit en sloeg het open op een bladzijde waar 'Anomalieën' boven stond. 'Kijk', zei ze, 'anomalie betekent afwijking van de regel, dus iets wat anders is dan we verwachten. Het woord komt uit het Grieks.'

Tomas keek met grote belangstelling naar de lichtvlekken op de foto's in het boek: kleine lichtbolletjes, grotere lichtvlekken, scherp omlijnd of juist vaag en soms een hele baan van de afbeelding in een andere kleur dan de rest. Wat raar, dacht Tomas, nog maar een paar dagen geleden dacht ik dat die foto's mislukt waren en nu zijn het opeens de spannendste foto's die ik ooit heb gezien.

'Wat denk jij van die lichtvlekken, mam?' Tomas keek zijn moeder vragend aan.

'Mogelijk heeft het iets te maken met de energie die verantwoordelijk is voor het ontstaan van de cirkels. Ik ben in elk geval altijd blijverrast als ik ze op de foto zie maar er is meer waar ik blij van word. Laten we het mapje bekijken waar ik zo nieuwsgierig naar ben.'

Tomas stond op en ging naast zijn moeder staan toen ze het mapje opende en de eerste foto's op tafel legde. 'Hé? Wat mooi! Hoe kun je nou foto's hebben die vanuit de lucht zijn gemaakt?'

Zijn moeder glimlachte om Tomas' enthousiasme en zei: 'Herinner je je ons telefoongesprek nog: ik zou toch proberen een vliegtuigje met een piloot te vinden? Dat is gelukt en het was fantastisch! Voor we opstegen, haalde de piloot de deur eruit. Eenmaal boven mocht ik een veiligheidsriem losklikken, zodat ik goed naar buiten kon hangen. Ik heb toen razendsnel zoveel mogelijk foto's gemaakt. Daarna zijn we doorgevlogen naar de volgende formatie.'

'Wauw! Dat je dat durfde... Was je niet bang om eruit te vallen?'

'Helemaal niet, het was geweldig en ik paste heus goed op hoor!'

Nadat Tomas' moeder al zijn vakantiefoto's had bewonderd, vroeg zij: 'Heb je nu nog zin om de rest van mijn mapjes te bekijken?'

Dat hoefde ze geen tweede keer te zeggen: 'Kom op mam, al duurt het de hele dag!' Tomas lachte en nam het eerste mapje aan.

Hij zag veel foto's van graankorrels die van dichtbij waren gefotografeerd en bijzonder gevormde paden van korenaren die wel gevlochten leken. Er waren ook opnames van aparte vormen precies in het midden van een graancirkel: rondjes rechtopstaand graan, waar de hele graancirkel omheen gelegd was en middencirkeltjes die sprekend leken op een vogelnestje.

Ook waren er foto's die vanaf een kleine hoogte waren genomen, zodat je iets meer van de cirkel zag.

'Dat heb je met een lange stok gedaan!' Tomas keek tevreden.

'Hoe weet jij dat?' zijn moeder keek verrast.

'Van Bob natuurlijk. Hé, wat is dit nu?' Tomas hield een foto omhoog waarop allemaal kleine dode zwarte vliegjes op de stengels zaten.

'Deze vliegen zitten met hun tong vastgeplakt aan de stengel. Het is belangrijk om daar op te letten omdat het alleen voorkomt binnenin een graancirkel en nooit erbuiten. De vliegen zitten daar alsof ze ergens totaal door verrast zijn. Opmerkelijk is dat het ook niet in elke formatie voorkomt. De schrijfster van het blauwe boek heeft dat enkele jaren geleden ontdekt.' Tomas' moeder keek peinzend voor zich uit.

'Wat? Dat kunnen mensen toch niet doen?'

'Er zijn nog wel meer tekenen waarvan we denken dat het niets met mensen te maken heeft: soms ligt er een beetje wit poeder op de grond in een cirkel, soms een stukje glas dat net gevormd is en ook vindt men wel eens kleine stukjes zwart steen: magnetiet heet het, maar het wordt ook wel meteorietstof genoemd.'

'Mam, kijk eens, het lijkt wel of deze stengels allemaal krom zijn', zei Tomas en wees op een paar foto's.

'Dat klopt', zei zijn moeder. 'Vaak zijn de stengels binnen een cirkel wat krommer dan die er buiten. Als je goed kijkt, zie je dat er soms gekke krullen aan de aren zitten of dat de groeiknopen zijn ontploft. Dat is een sterke aanwijzing dat er een enorme druk op het gewas wordt uitgeoefend tijdens het maken van een formatie: de stengel ontploft op de plek waar verdikkingen zitten, de zogenaamde groeiknopen. Je kunt dat vergelijken met een ei in de magnetron. Als de druk binnenin het ei te hoog wordt, dan ontploft het.'

'Zullen we dat een keer uitproberen?' vroeg Tomas hoopvol. Het leek hem wel gaaf om dat te zien.

'Nee, dank je. Dat geeft een enorme troep', zei zijn moeder. 'Je zult me op mijn woord moeten geloven.'

'Wat ik niet snap', zei Tomas, 'is dat je zoveel verschillende graancirkels hebt gefotografeerd. Liggen ze allemaal bij elkaar?'

'Ik zal het je laten zien.' Zijn moeder pakte een kaart van het gebied waar ze geweest was en vouwde hem open. Er zaten allemaal rode stickertjes met cijfers opgeplakt. 'In dit hele gebied komen graancirkels voor. Op elke plek waar er een verscheen, heb ik een stickertje geplakt. Sommige liggen heel dicht bij elkaar, soms zelfs in hetzelfde veld, en andere liggen wat verder weg. De cijfers op de stickertjes geven de datum aan waarop de cirkel is ontdekt. Zoals je ziet verschijnen er soms een paar op één dag en soms een paar dagen achter elkaar niet een. Het is niet te voorspellen.'

'Hoe weet je trouwens dat er een nieuwe graancirkel is?' vroeg Tomas.

'Weet je nog dat je vroeg waarom er zoveel kleine vliegtuigjes rondvlogen, toen wij vorig jaar in Engeland waren? Er zijn veel toeristen die het gebied graag van bovenaf willen bekijken, niet alleen vanwege de graancirkels, maar ook om het witte paard van Uffington en Stonehenge te zien. De piloten ontdekken het direct wanneer er een nieuwe graancirkel is.' Tomas moeder hield haar hand boven haar ogen en deed alsof ze naar een wijds landschap beneden zich tuurde. 'O ja, natuurlijk!' zei Tomas. 'En dan melden ze de nieuwe graancirkel?'

'Niet allemaal', antwoordde zijn moeder, 'maar er zijn piloten die zelf erg betrokken zijn bij graancirkels. Bovendien verdienen ze er wat aan, want iedereen die zich aangetrokken voelt tot graancirkels wil er onmiddellijk boven vliegen om foto's te nemen voordat er iets beschadigd is door bezoekers. Soms ontdek je zelf een formatie door in het gebied rond te rijden en goed op te letten. Een andere mogelijkheid is om op speciale internetsites te kijken of er nieuws is. Verder is het heel belangrijk om contact te hebben met mensen die de weg goed kennen en die op de hoogte zijn van het plaatselijke nieuws. Zodra er een nieuwe formatie bekend is, springen alle graancirkelliefhebbers in hun auto en gaan naar het veld toe om onderzoek te doen. Hoe minder mensen er in het veld geweest zijn, hoe beter je de cirkel kunt onderzoeken.'

Tomas knikte: 'Ja, dat weet ik, Bob de Haas zei dat ook.'

Hij vertelde ons dat de boeren meestal niet blij zijn met al die belangstelling voor hun land. Zij kunnen niet zien of de mensen serieuze onderzoekers zijn of onwetende toeristen die veel kapotmaken, zodat de boer het graan niet meer kan oogsten.'

'Dat klopt, maar het meeste graan kan later gewoon geoogst worden hoor. De stengels van het graan richten zich na een poosje weer een beetje op naar het licht. De maaidorser maait het meeste graan gewoon mee. Sommige boeren zetten een grote doos neer bij het veld. Het is de bedoeling dat bezoekers er geld in doen als vergoeding en de meeste mensen doen dat, gelukkig. Als een boer écht niemand in zijn veld wil, dan respecteren we dat. Een enkele keer maait een boer onmiddellijk het hele veld, om van het gezeur af te zijn. De figuur is dan weg of zo beschadigd dat het voor ons niet meer interessant is om ernaartoe te gaan, maar als het ons lukt er als eerste te zijn, is het echt geweldig!'

Tomas zag dat zijn moeder in gedachten voor zich uit-staarde en zij streelde zachtjes het stapeltje foto's dat zij nog steeds in haar handen had. Had zij tranen in haar ogen?

'Wat is er, ben je verdrietig?' vroeg Tomas bezorgd.

'Nee hoor, lieverd. Laat me maar even: ik heb enorme heimwee. Ik vind het echt fijn om weer bij jullie te zijn, maar ik zou ook heel graag in Engeland willen zijn. Het is zo heerlijk om met graancirkels bezig te zijn', zei ze terwijl ze Tomas een kus op zijn voorhoofd gaf.

'Dan mag ik zeker wel mee dit keer?' vroeg Tomas.

'Tuurlijk!' zijn moeder lachte alweer door haar tranen heen.

Toen Tomas 's avonds in bed lag stelde hij zich voor dat hij samen met zijn moeder een lichtbol zag vliegen boven een veld in Engeland. Hij dacht aan allerlei soorten licht, ook aan het licht dat zijn vader vorige week 's nachts had aangedaan. Tomas was inmiddels al half in slaap: er was helemaal geen zaklamp, dacht hij, en ook geen ganglicht. Stel je voor dat er die nacht een lichtbol voorbij was gezweefd... Siem had de volgende dag de graancirkel ontdekt... Vlak voordat Tomas helemaal in slaap viel dacht hij: dit moet ik onthouden... dit moet ik onthouden... dit moe...

21

Bijzonder bezoek

'Zo, daar ben ik dan!' Met een grote grijns op zijn gezicht
stond Jort Banning voor de deur van het vakantiehuisje.
Hij omhelsde Tomas' moeder allerhartelijkst en daarna
liepen ze samen naar binnen. Zoals beloofd, zette Jort
een fles wijn op tafel, waarna hij de vader van Tomas een
vriendschappelijke hand gaf en ook Tomas en Sterre
begroette. 'Hebben jullie de laatste nieuwe graancirkel al
gezien op het internet?' viel hij met de deur in huis. 'Dat is
alweer nummer 73 van dit jaar.'
   Tomas' moeder knikte enthousiast: 'Ja, wat een geweldige
formatie! Hij lijkt heel veel op een stel spelende dolfijnen
met in het midden de schroef van een schip.'
   Jort Banning moest lachen. 'Grappig dat je dat zegt, ik
zie ook een stel dolfijnen, maar in het midden zie ik een
paar walvissen. Zo zie je maar dat iedereen op zijn eigen
manier kijkt!'
   'Jammer dat we er niet heen kunnen, ik vind hem
prachtig', zei Tomas' moeder met een diepe zucht.
   'Er zullen altijd formaties zijn die je niet kunt bezoeken,
trouwens hier in Drenthe zit je ook goed heb ik begrepen.
Er zijn onlangs twee graancirkels ontstaan in deze buurt,
dat is toch bijzonder genoeg lijkt me.'

Tomas popelde om ook iets te zeggen: 'Dat klopt en ik ben
in beide cirkels geweest! Ik heb er foto's gemaakt en Siem
en ik hebben Bob de Haas geholpen met het onderzoek.
Siem is de zoon van boer De Jong en hij ontdekte de graan-

cirkel. We zijn vrienden geworden en straks gaan we samen zwemmen.'

'Was jij even op het juiste moment op de juiste plek!', zei Jort met een waarderende glimlach. 'Ik wil graag je graancirkelfoto's zien. Je moeder vertelde me al via de telefoon dat er foto's met bijzondere lichtvlekken bij zitten.'

Tomas liep direct naar de kast en pakte zijn fotomapje. Trots overhandigde hij het aan Jort Banning. 'Hmmm...' Jort keek aandachtig naar de foto's. 'Je mag er zeker trots op zijn, Tomas. De foto's zijn haarscherp en de lichtvlekken zijn duidelijk waarneembaar. Bewaar ze maar goed, enne... mag ik deze houden om te gebruiken in een artikel dat ik voor een tijdschrift ga maken?' Jort hield de mooiste foto omhoog.

Tomas lachte van oor tot oor: 'Te gek, maar ik heb ook nog wat vragen voor u!' Hij zag zijn moeder even fronsend naar hem kijken. Was hij te brutaal? Tot zijn opluchting gaf Jort zijn moeder een knipoog.

'Prima', zei Jort, 'ik weet alleen niet of ik wel alle antwoorden heb die je zoekt, want hoewel ik al meer dan tien jaar naar Engeland ga en elk jaar veel onderzoek doe, weet ik nog steeds niet hoe de graancirkels worden gemaakt, door wie en waarom. Ik weet wél dat het mij heel nieuwsgierig maakt, dat ik er als een magneet door aangetrokken word en dat de formaties met het jaar mooier en ingewikkelder worden. Het is ook een heel bijzonder gevoel om zelf in zo'n graancirkel te zijn.'

Jort kreeg even eenzelfde afwezige blik in zijn ogen die Tomas ook bij zijn moeder had gezien. 'Kun je me vertellen wat je voelde toen je in de graancirkels stond?'

Tomas dacht even na en vertelde: 'Ik voelde me heel lekker en ook stil vanbinnen. Mijn lichaam tintelde een beetje raar en ik herinner me dat ik enorme zin had om te gaan liggen.' Tomas lachte wat verlegen: 'Nou ja, ik heb heerlijk op mijn rug gelegen en zag allemaal figuren in de wolken.'

'Dat is fijn voor je', zei Jort, 'maar niet iedereen ervaart altijd dat gelukkige gevoel in een graancirkel. Soms worden mensen een beetje misselijk of verdrietig en soms worden ze overdreven vrolijk. Ik heb het zelf meegemaakt in een graancirkel in het noorden van ons land. We waren met een groepje onderzoekers in een formatie met de vorm van een schorpioen. We deden gewoon onderzoek en een aantal van ons werd ziek: misselijk of hoofdpijn of beide. We hebben het veld voortijdig moeten verlaten omdat het er niet prettig was. Later bleek dat er nog een cirkeltje aan de staart was bijgemaakt terwijl we in het veld ons onderzoek deden! Dat was wel heel spannend hoor achteraf.'

'Dat klopt', zei mama. 'Ik heb dat ook eens meegemaakt in Engeland. Toen ik de graancirkel in ging, was er niets aan de hand en toen ik er na een poosje weer uitkwam, was ik behoorlijk misselijk. In een andere cirkel gebeurde er ook iets waarvan ik dacht dat het alleen andere mensen overkwam: ik wilde een foto maken, maar mijn camera deed het ineens niet meer. Later bleek dat de nieuwe batterijen leeggelopen waren.'

'O ja, dat gebeurt regelmatig', vulde Jort haar aan. 'Ook horloges staan soms spontaan stil.'

Tomas knikte heftig: 'Ik heb daarover gelezen en ik heb het ook meegemaakt met papa's mobieltje. Ik vind het best spannend deze onverklaarbare dingen!'

Ondertussen had Tomas' vader drinken naar het terras gebracht en iedereen verhuisde er al lachend en pratend naartoe. Tomas was even bang dat hij met zijn vragen bleef zitten en daarom vroeg hij snel: 'U zei net dat er al 73 graancirkels aan de andere kant van de Noordzee zijn verschenen dit jaar en in Nederland zijn het er maar een paar. Hoe komt het dat er zoveel juist in Engeland ontdekt worden?'

'Dat is een goede vraag, maar helaas weet ik het antwoord daarop niet zeker. Er zijn mensen die denken dat er zoveel graancirkels in Engeland verschijnen, omdat daar andere getalswaarden gebruikt worden. Ze kennen daar geen meters, maar yards, inches en feet, allemaal net iets anders dan de getallen waar wij mee rekenen, zoals centimeters en meters. De oude volkeren die ons veel hebben nagelaten, zoals de ontwerpers van de Grote Piramide in Egypte waar jij volgend jaar naartoe gaat, gebruikten die rekeneenheden ook. Andere mensen zeggen dat het is omdat de bodem in Engeland een bijzonder doorlaatbare structuur heeft. Veel delen van de bodem bestaan uit kalk met daarin watervoorraden onder de grond. Heb je wel eens iets uit de oven gepakt met een natte ovenwant?'

Tomas knikte.

'Wat voelde je toen?'

'Ik brandde mijn vingers, want de warmte werd niet tegengehouden. Het leek er zelfs op dat de ovenwant de warmte extra snel doorgaf', antwoordde Tomas.

Jort knikte goedkeurend. 'Klopt. We noemen dat geleiden van energie. Water geleidt energie heel gemakkelijk. Mogelijk geeft het water in de Engelse bodem de energie door die nodig is voor het maken van een graancirkel. Er lopen daar bovendien opvallend veel energie- of leylijnen in de grond en die zouden er óók voor kunnen zorgen dat daar veel graancirkels zijn.'

Tomas dacht diep na. Het was behoorlijk ingewikkeld allemaal. De combinatie leylijnen en graancirkels had hij nu zo vaak gehoord, dat leek in elk geval te kloppen.

'Volgende vraag', spoorde Jort Tomas aan.

'Oké, wie maken de cirkels? Toen ik mijn foto's ging ophalen, moest de fotograaf lachen toen hij eindelijk begreep wat er op mijn foto's stond. Hij vroeg of ik de cirkels zelf had gemaakt met een plank en een touw. Ik voelde me een beetje uitgelachen.'

Jort zag het boze gezicht van Tomas en glimlachte herkennend: 'Daar wen je wel aan jongen. Als mensen iets niet kunnen verklaren, maken ze er liever een grapje van. Zo hoef je immers niet verder te denken over wat er écht aan de hand is.'

Tomas wilde iets zeggen over het onwaarschijnlijke verhaal van de twee oude Engelse boertjes die alle graancirkels zouden maken, maar Jort was nog niet klaar.

'Weet je, voor mensen die blij zijn met het ontstaan van graancirkels hoef je geen bewijs te leveren dat er iets bijzonders aan de hand is en voor mensen die niet in graancirkels geloven, kun je nooit genoeg bewijs aandragen. Vaak worden de cirkels 's nachts gevormd binnen een paar uur tijd. Wij rijden regelmatig grote delen van de nacht rond in zo'n gebied of we zitten op verschillende plekken te posten aan de rand van een veld. Als mensen proberen daar een graancirkel te maken zouden wij hen beslist zien of horen.'

'Maar waarom doen mensen dat toch?' vroeg Tomas.

'Dat vragen wij ons ook zo vaak af. Het is een feit dat er regelmatig cirkels gemaakt worden door mensen. Soms doen ze dat om anderen uit te dagen of gaat het om een weddenschap en een enkele keer verdienen zij er geld mee als het om een reclamestunt gaat. In elk geval zijn er nog heel veel formaties over die zeker niet op deze manier verklaarbaar zijn. Er zijn ook mengvormen bekend, waarbij zowel mensen betrokken zijn als iets anders, bijvoorbeeld lichtbollen. Het is bekend dat mensen experimenten hebben gedaan met gedachtekracht.

Ze stelden zich allemaal dezelfde vorm voor en soms verscheen later diezelfde vorm in een graancirkel. Het kan dus zijn dat graancirkels op verschillende manieren ontstaan en toch, wat wij noemen, 'echt' zijn. Het is inmiddels wel bekend dat er vaak lichtbollen aanwezig zijn voor of tijdens het ontstaan van een graancirkel en dat er bepaalde energieën vrijkomen in het veld. Er zijn nog zoveel dingen te ontdekken', zei Jort met een zucht. 'Er wordt ook wereldwijd gezocht of er een boodschap inzit voor ons en zo ja, welke. Er werken gelukkig steeds meer mensen samen om erachter te komen wat er nu werkelijk gebeurt als er een graancirkel gevormd wordt.'

Jort pauzeerde even om adem te halen en wat te drinken. Je kon aan hem zien dat hij van het onderwerp genoot: 'Ik kan je in elk geval iets heel bijzonders laten zien. Kijk, ik heb hier een uitdraai van een bekende cirkel: die met de grote ring en het kleine rondje, waar je zelf in hebt gestaan. Deze luchtfoto stond op het internet. Heb je een liniaal en passer bij je?'

'Dacht ik wel!' zei Tomas met een grijns en hij stond op om zijn tekendoos binnen op te halen.

Jort legde de kopie van de internetfoto op de tuintafel. Met de liniaal trok hij lijnen op het papier en met de passer zette hij nieuwe cirkels om de bestaande figuren heen. Langzaamaan verschenen er een paar grote vijfpuntige sterren, die precies binnen de lijnen van het veld en de formatie pasten. Jort tekende zorgvuldig nog enkele rechte lijnen en cirkels erbij en er verschenen compleet nieuwe figuren die allemaal in elkaar pasten.

'Het lijkt wel magie!' riep Tomas verrast.

'Dat noemen we geometrie', legde Jort uit. 'In bijna alle graancirkels zitten geometrische figuren verstopt. De basis bestaat uit dezelfde vormen die je op school leert zoals een driehoek en een vierkant. Straks, als je op het voortgezet onderwijs zit en je kiest de wiskundige richting, zul je er veel meer over leren. Om een graancirkel na te maken die voldoet aan deze perfecte geometrie, moet je wel een genie zijn. Een mens maakt dat niet zomaar even na.'

Tomas keek op zijn horloge en riep geschrokken: 'Siem wacht op me, ik had al bij hem zullen zijn..., ik ben helemaal de tijd vergeten!'

'Tja', zei Jort grinnikend, 'dat gebeurt wel vaker met graancirkels.'

Ook Tomas' moeder schoot in de lach. 'Ga nu maar gauw voordat Siem in een lichtbol verandert.'

'Hé? O ja, ik vergat te vertellen dat ik er waarschijnlijk ook eentje gezien heb in de nacht voordat Siem de graancirkel ontdekte!'

Zijn moeder keek hem niet begrijpend aan.

'Nou... ik werd wakker door het aanslaan van de dieren buiten. Papa zei dat hij die nacht niet op de gang is geweest en geen licht heeft aangedaan. Het was pik en pikdonker en toch scheen er licht in mijn ogen.' Daarna hief Tomas zijn handen in de lucht en liep snel naar zijn fiets toe.

'Op tijd terug zijn voor het eten vanavond, oké?' riep Tomas' moeder hem na.

'Ja, weet ik. Dááág!' Toen Tomas op zijn fiets stapte, keek hij nog even om en zag dat Jort zijn moeder een knipoog gaf en zijn duim waarderend omhoog hield.

22

Een mislukte grap

'Waar bleef je nou man?' riep Siem naar Tomas die met grote snelheid aan kwam fietsen.

Met een bezweet en rood hoofd stapte Tomas af en zei: 'Sorry, maar Jort Banning, je weet wel die bekende graancirkelonderzoeker, is bij ons op bezoek en ik mocht hem wat vragen stellen in ruil voor een van mijn foto's. Hij gaat die foto gebruiken bij een artikel dat hij gaat schrijven.'

'Leuk voor je. Zullen we na het zwemmen naar jouw huis gaan? Ik heb ook nog wel honderd vragen.'

'Mij best', antwoordde Tomas. 'Dan rijden we eerst even langs mijn huis om te laten weten dat ik met je mee ga. Mijn moeder vind het zeker goed.' Siem was zijn irritatie over het lange wachten alweer vergeten.

Het was een mooie dag en de jongens hadden veel plezier bij het meertje die middag. Toen het tijd was, zochten ze hun spullen bij elkaar, stapten op de fiets en reden eerst naar de boerderij om Siems moeder toestemming te vragen. Zij gunde het de jongens van harte en zij zwaaide hen na toen ze joelend wegreden.

Tomas' moeder was bijna klaar met eten koken toen Tomas en Siem arriveerden. Sterre deed haar best om haar moeder te helpen met tafeldekken.

'Ruikt goed', zei Siem toen hij de keuken binnenstapte.

'Dan hebben we zeker een extra bord nodig?' vroeg Tomas' moeder lachend.

Even later zat iedereen aan tafel en onder veel gepraat en gelach werd het eten opgeschept. Tomas en Siem zaten tegenover elkaar en keken elkaar af en toe aan. Siem verwachtte eigenlijk dat er de hele tijd over graancirkels gesproken zou worden, maar helaas voor hem ging het over van alles, maar niet daarover. Pas bij het nagerecht leek Jort zich weer voor dit onderwerp te interesseren en vroeg: 'Zeg Siem, hoe ontdekte je nou die graancirkel?'

Siem vertelde alles wat hij wist over die dag: zijn totale verbijstering die overging in blijdschap en zijn bezorgdheid later omdat zijn vader de oogst belangrijker leek te vinden dan de graancirkel.

'Je verhaal klinkt zeer betrouwbaar', zei Jort peinzend. 'Ik krijg maar zelden zo'n precieze omschrijving. Ik neem het mee in mijn artikel.'

Siem grijnsde van oor tot oor.

Tomas' moeder doorbrak de stilte die ontstaan was: 'Tomas, toen je wegreed vanmiddag zei je dat je waarschijnlijk een lichtbol hebt gezien in de nacht voordat Siem de graancirkel ontdekte. Klopt dat?'

Iedereen keek op toen aan de overkant van de tafel een glas kapot viel. Siem keek verbouwereerd voor zich uit met zijn lege hand nog in de lucht. Het glas was eruit gevallen en het water droop langs de tafel op zijn broek. Hij merkte niet eens dat de natte plek steeds groter werd. 'Heb..., heb..., heb jij die nacht een lichtbol zien vliegen?' stotterde Siem.

'Ja, hoezo? Dat kan toch zeker wel? Ik heb het heus niet verzonnen hoor!' reageerde Tomas nogal fel.

'Nee, nee, zo bedoel ik het niet', zei Siem vlug. 'Ik bedoel, heb jij hem óók gezien?'

Tomas' mond viel open. 'Je bedoelt dat jij hem ook zag?'
De jongens keken elkaar stilzwijgend aan.

De grote mensen aan tafel begrepen dat er iets bijzonders aan de hand was. Kennelijk hadden beide jongens hetzelfde gezien, maar ieder op een andere plaats, zonder dat ze het van elkaar wisten.

Siem kon eindelijk vertellen wat er die nacht precies gebeurd was. Het hielp hem dat Tomas de lichtbol ook gezien had en dat hij in een gezelschap verkeerde waar niemand aan zijn verhaal twijfelde. Hij werd pas écht blij toen hij van Jort Banning hoorde dat veel mensen dit dolgraag mee willen maken en er soms jaren op moeten wachten.

De tafel was afgeruimd, Sterre lag in bed en de volwassenen gingen buiten zitten om van de mooie avond te genieten. Het begon al te schemeren en de jongens zaten samen te praten. Siem wees naar boven en zei: 'Kijk, zie je die heldere ster? Dat is Sirius en daar', Siem wees weer naar de hemel, 'zie je de Grote Beer, die lijkt op een steelpan.'

'Wat kun je dat toch goed zien in Drenthe! Bij ons zijn er zoveel lichten aan in het havengebied dat je de sterren haast niet kunt zien', zei Tomas spijtig.

Na een tijdje hadden ze zin om nog een eindje te gaan lopen in de richting van de bosrand. Tomas overlegde het even met zijn moeder en haalde daarna zijn zaklamp.

Toen de jongens door het beboste deel heen waren, zagen ze uitgestrekte akkers. Een deel van de tarwe was hier nog niet geoogst.

Siem vond een dikke plank en een oud stuk touw. 'Kijk', zei hij, 'dit is uit de omheining gevallen... nou ja, waarschijnlijk met de trekker er per ongeluk uitgeramd. Dat is me ook wel eens overkomen.' Ze bonden de plank aan het touw en Siem trok hem als een slee voort. Plotseling bleef Siem staan. Tomas had niets in de gaten en draaide zich pas om toen hij doorhad dat Siem niet meer naast hem liep.

Siem keek peinzend voor zich uit en in zijn ogen blonken ondeugende lichtjes. 'Ik heb een goed idee!' zei hij. Siem kwam snel naar Tomas toelopen en deelde zijn plan op gedempte toon mee: 'Zullen we een geintje uithalen en zelf een graancirkel maken in een van deze velden?'

Tomas keek verbaasd naar Siem. 'Dat meen je niet, we kunnen toch niet zomaar op iemands veld het graan vernielen?'

'Dat geeft niets joh. We maken niet zo'n grote cirkel en bovendien ken ik deze boer goed, hij is een vriend van ons. Samen met mijn vader organiseert hij het jaarlijkse zomerfeest van de dorpen hier in de buurt en hij is wel in voor een geintje. Ik zal het hem morgenvroeg even uitleggen. Doe nou niet zo flauw, ik heb er reuze zin in en het zou toch te gek zijn om jouw moeder en Jort eens flink te testen? Kunnen we gelijk zien of ze écht zoveel van graancirkels afweten als ze zeggen...'

Tomas twijfelde, maar hij was wel heel benieuwd naar het gezicht van zijn moeder als hier nu weer een graancirkel lag. Ook sprak er vanbinnen nog steeds een proteststemmetje: hij nam het zijn moeder nog steeds een beetje kwalijk dat ze alleen naar Engeland was vertrokken. 'Oké, ik doe mee. Hoe wil je die cirkel eigenlijk maken?'

'Nou, we hebben al een plank en een bruikbaar stuk touw. We binden de uiteinden van het touw om de plank.

Kijk, zo doe je dat: Siem draaide handig de twee touw-uiteinden om de kopse kanten van de plank. Als je nu het touw in het midden omhooghoudt, kun je je voet op de plank zetten en zo rondstampen. Om een mooie ronde cirkel te maken, hebben we nog een stok en een flink eind touw extra nodig.'

'Ja, dat weet ik', zei Tomas, die het steeds leuker ging vinden. 'De stok is om het midden van de cirkel aan te geven en het touw binden we eraan vast. Een van ons loopt dan met het loshangende deel zover mogelijk van de stok af, zet een beetje spanning op het touw en gaat lopen. Je kunt dan niet anders dan in een cirkel lopen. Nou ja, in elk geval is de buitenste rand van de cirkel dan overal even ver van de stok af.'

'Ja, en de ander trapt het graan plat met de plank met het touw eraan', zei Siem strijdlustig. 'Een stok ligt vast wel tussen de bomen daar en het touw lenen we even.'

'Lenen?' zei Tomas met opgetrokken wenkbrauwen.

'Ja, we halen het zolang van het hek af waar de opgang voor de trekkers is. Veel boeren sluiten hun hek gewoon met een stevig touw.' Siem liep al naar de bomen en vond snel wat hij zocht. Vervolgens liep hij naar het hek bij de oprit van het veld en peuterde een groot oranje touw los dat daar dienst deed als slot.

Het werd nu heel spannend. De jongens moesten ervoor zorgen dat niemand hen zag of hoorde. Het was gelukkig al vrij donker geworden. De maan was niet meer dan een sikkeltje en de eerste sterren kwamen tevoorschijn. Zachtjes, zonder te praten, glipten ze door het toegangshek het veld in. De jongens liepen voorzichtig over de tractor-sporen tussen het gewas door. Tomas liep voorop en flitste af en toe zijn zaklantaarn aan om te kijken of ze nog op het goede spoor liepen.

Hij voelde even een rilling over zijn rug lopen toen hij zich voorstelde wat zijn moeder zou doen als zij hem hier zag lopen. Om van deze gedachten af te komen, knipte hij de zaklantaarn aan, hield hem onder zijn kin en trok een eng gezicht. Vliegensvlug draaide hij zich om naar Siem: 'Je bent betrápt!' riep hij griezelend.

Siem keek recht in een geestengezicht en schrok zich drie slagen in de rondte. Hij kon er niets aan doen dat hij gilde van schrik.

Tomas begon zenuwachtig te giechelen. 'Ssst, we moeten heel stil zijn...'

'Leuk hoor, bedankt!' zei Siem die niet goed wist of hij moest lachen of huilen.

'Je houdt toch van een geintje? Dit grapje heb ik van mijn moeder geleerd, die doet ook wel eens maf.' Tomas klonk een beetje twijfelend, het was harder aangekomen dan hij bedoelde.

'Nou, kom op!' Siem herstelde zich alweer: 'Als ze zo van geintjes houdt, hebben we ook iets voor haar!'

Iets voorbij de helft van het veld besloten ze om de cirkel te gaan maken. De afstand naar de boerderij was iets korter dan die naar het hek, maar de plek voelde goed. Siem keek nog eens naar de boerderij en zei: 'Ik geloof niet dat ze ons hier kunnen zien. Bovendien is het rustig en donker daar. Waarschijnlijk zijn ze al naar bed.'

De jongens begonnen met hun blote handen een gat te graven om de stok in te zetten. Deze plek zou straks het middelpunt van de cirkel zijn. Opeens sloeg in de verte een hond aan. Tomas en Siem keken tegelijk op: was er onraad? Nee, gelukkig, alles was verder rustig en ze besloten door te werken.

Raar, de hond bleef maar blaffen en ze hoorden nu ook

geloei van koeien. Op een veld verderop liepen de paarden onrustig heen en weer; ze hinnikten angstig.

Tomas voelde zich erg onbehaaglijk en wilde dat tegen Siem zeggen. Toen hij opkeek zag hij dat Siem als aan de grond genageld naar iets in de lucht stond te kijken. Tomas volgde zijn blik en zag hetzelfde als Siem. Vlak boven het veld zweefde op een afstand van vijftien meter een lichtbol. De bol was zo groot als een opblaasbare strandbal en hing stil in de lucht. Hij straalde een witachtig-groen licht uit en het leek alsof hij uit meerdere delen bestond die kloppende bewegingen maakten.

Plotseling zweefde de lichtbol wat dichter naar hen toe en steeg er een knetterend geluid op uit het veld. Het klonk als het knetteren van een hoogspanningskabel zoals je dat ook wel eens hoorde op een stille en vochtige dag.

Nog steeds stonden Tomas en Siem roerloos te kijken. Het leek zelfs alsof de bol en de jongens elkaar bekeken.

Toen de bol nóg dichterbij kwam, wisten ze ineens wel wat ze moesten doen: rennen! Ze lieten hun stok, plank en touwen liggen en zetten het op een lopen. Ze kozen de kortste weg het veld uit, recht op de boerderij af. Tomas riep: 'Rennen Siem, rennen! Straks haalt hij ons nog in...'

Inmiddels was de boer ook wakker geworden van alle onrust buiten. Snel trok hij wat kleren aan en liep naar beneden. Toen hij de deur opende, zag hij twee jongens die schreeuwend het veld uitrenden.

'Hééé, wat moet dat daar in mijn veld?' riep hij met bulderende stem. Zijn roepen werd echter overstemt door al het geluid dat de avond vulde.

De jongens keken niet op of om en renden hijgend voorbij. De boer herkende Siem de Jong onmiddellijk, maar die andere jongen had hij nog nooit gezien. De boer wilde het liefst terug naar bed, maar voor de zekerheid keek hij nog even in de richting van zijn veld. Hij zag een merkwaardig licht in de verte. Toen hij beter keek leek het even een op een zwevende strandbal... daarna leek het te doven. De boer wreef in zijn ogen en dacht: 'Hmmm, rare boel. Nou, kennelijk zijn ze van dat licht geschrokken. Ze wilden natuurlijk een nachtelijke wandeling door de velden maken, maar een derde vriendje wachtte hen natuurlijk op met een zaklamp en joeg ze de stuipen op het lijf.'

'Kwajongens', mompelde hij en eigenlijk moest hij er wel om lachen. Morgen zou hij tegen Siem zeggen dat hij niet wilde dat hij 's nachts door het veld banjerde. In ieder geval niet tot na de oogst.

꧁

De boer had inderdaad een licht gezien, maar zijn verklaring klopte van geen kant. Het was een lichtbol; dezelfde lichtbol die waarschijnlijk verantwoordelijk was voor het ontstaan van alweer een nieuwe graancirkel. Dit keer in het veld waar Tomas en Siem samen een nepcirkel hadden willen maken. Alleen dát wist nu nog niemand.

23

Alweer een nieuwe graancirkel

Met een slaperig hoofd gaf Jort Banning zijn mobieltje een dreun waardoor het op de grond viel. De indringende ringtone stopte acuut. Hij had zijn mobieltje gisteravond gedachteloos naast zijn bed neergelegd. Het was nogal laat geworden en hij was vergeten om hem uit te zetten. Eerlijk gezegd verwachtte hij helemaal niet dat iemand hem zou bellen, laat staan zo vroeg in de morgen. Hoewel vroeg... te zien aan de kracht van de zon die door de gordijnen scheen, was de ochtend al aardig gevorderd.

De telefoon ging opnieuw. Jort grabbelde hem van de grond en kwam langzaam omhoog om zijn hoofd een beetje te ontzien. Na een gezellige avond was hij bij de familie in het vakantiehuisje blijven slapen. Op Tomas' kamer was een extra bed neergezet.

Toen Tomas gisteravond lijkbleek en bibberig thuiskwam, wilde hij het liefst ongezien doorlopen naar zijn slaapkamer, maar zijn moeder riep hem vanaf het terras. Even stokte zijn adem in zijn keel: hij wist maar al te goed dat hij te laat thuis was en wat moest hij zeggen?

'Jort blijft vannacht hier slapen en we hebben een bed op jouw kamer erbij gezet. Oké?' Tomas' moeder keek hem aan voor zover dat ging in het donker.

'Ja ja, best!' Tomas kon nauwelijks een zucht van opluchting onderdrukken. Wat een mazzel dat de volwassenen zo'n fijne avond hadden en met hun gedachten ergens anders waren!

Tomas lag met zijn hoofd half verstopt onder de lakens. Als hij zich niet zo'n zorgen hoefde te maken over gisteravond had hij echt gelachen om het gestuntel van Jort. Hij kon op dit moment niet anders dan meeluisteren met deze kant van het telefoongesprek. 'Wat zeg je? Alwéér een nieuwe formatie in Nederland? Waar ongeveer?' Jort was opeens klaarwakker. 'Wáááát?!' Jort riep nu heel hard door de telefoon. 'Dat meen je niet, ik zit in hetzelfde dorp. Ik ben blijven slapen bij Suzanne en haar familie in hun vakantiehuisje!'

Jort krabbelde wat aantekeningen op een papiertje dat hij met één hand uit zijn tas had opgevist en rondde daarna het telefoongesprek af. In een oogwenk kleedde hij zich aan en riep tegen Tomas dat hij wakker moest worden omdat er groot nieuws was. Jort wachtte Tomas' antwoord niet af; hij rende de kamer al uit. De volgende die hij uit bed trommelde, was de moeder van Tomas.

Tomas stond op en liep zo onopvallend mogelijk naar beneden. Hij wilde tot elke prijs voorkomen dat iemand over gisteravond zou beginnen. Eigenlijk wilde Tomas dat het nooit gebeurd was... Ze konden hem nog meer vertellen: lichtbollen! Hij kon zich niet herinneren dat hij ooit in zijn leven zo bang was geweest.

Beneden zat Jort aan de keukentafel en Tomas' moeder keek hem vragend aan: 'Je moet wel heel groot nieuws hebben om me met zoveel herrie wakker te maken!'

'Je zult het geweldig vinden', zei Jort enthousiast, terwijl hij op een plattegrond van de omgeving keek en met zijn wijsvinger een weggetje volgde. 'Kijk. Op deze plek, op nog geen vijftien minuten hier vandaan is vannacht een nieuwe graancirkel gevormd. Ik kreeg zojuist een telefoontje van Bob de Haas die de melding van de boer heeft gekregen. Hij is al onderweg en ik heb hem toegezegd dat wij er ook heen zullen gaan. Hij zal er over ongeveer een half uurtje zijn. Heb jij misschien ook zin om mee te gaan?' vroeg Jort aan Tomas.

Tomas, die het gesprek nauwelijks volgde en al helemaal niet naar de plattegrond keek, schrok op en knikte afwezig van ja.

Iedereen kleedde zich snel aan, dronk wat en at staande een boterham. Sterre wilde niet mee en papa bleef bij haar. Op weg naar de nieuwe formatie reed mama en Jort keek op de kaart om de juiste weg te wijzen. Plotseling bekroop Tomas een akelig gevoel: deze omgeving kende hij. Tegen de tijd dat de auto stopte en Jort zei: 'Zo, we zijn er', wist Tomas dat hij dik in de problemen zat. Ze stonden precies voor de boerderij waar Tomas en Siem gisteravond in volle vaart langs waren gerend, alsof er een spook op hun hielen zat.

De jeep van Bob de Haas stond al op het erf en hij stond te praten met de boer. Ze liepen ernaartoe en stelden zichzelf voor. Toen Tomas de boer een hand gaf, durfde hij hem niet goed in de ogen te kijken uit angst dat hij hem zou herkennen.

Jort vroeg aan Bob of hij al wat te weten was gekomen en na een kort overleg zei de boer: 'Ik heb nog niet de kans gekregen om te vertellen dat ik wat spullen in de cirkel heb gevonden.' Hij liep naar het bankje dat voor de boerderij stond en pakte een plank, een stok en twee touwen. Toen hij daarmee terugkwam, keek hij Tomas recht in de ogen. Tomas begon hevig te blozen en wist niet waar hij kijken moest. Het was overduidelijk dat de boer hem had herkend, maar waarom zei hij niets?

Bob de Haas vloekte binnensmonds en gooide boos zijn aantekeningenboekje en pen op de grond. 'Wel verdorie! Kom ik helemaal hierheen om erachter te komen dat er een paar grappenmakers zijn geweest die de boel weer eens voor de gek wilden houden. Ik kan daar zó moe van worden. Ik heb echt wel wat beters te doen dan nepcirkels onderzoeken. De groeten, ik ga!'

Jort probeerde Bob te kalmeren. 'Laten we nu geen overhaaste conclusies trekken Bob. Ik wil tóch even een kijkje gaan nemen in het veld, anders zijn voor niets gekomen. Als we klaar zijn, dan gaan we met z'n allen een lekkere bak koffie drinken bij Suzanne met een stuk appeltaart dat ik in de koelkast heb zien staan. Zo is het toch, Suzan?'

Tomas' moeder moest lachen om Jort. 'Zo is het maar net. Kunnen we er nu heen, ik ben toch wel erg benieuwd. Ik heb al behoorlijk wat cirkels in Engeland bezocht, maar ik ben nog nooit in een Nederlandse graancirkel geweest.'

Achter elkaar aan lopend, betraden ze het veld via de tractorsporen. De boer voorop en Bob de Haas nog namopperend helemaal achteraan. Tomas liep voor Bob en maakte zich grote zorgen. Hij wist dat ze niets anders zouden aantreffen dan een gat in de grond dat bedoeld was om de stok in te steken, voordat de lichtbol verscheen. Het liefst zou hij hier, nu direct, door de grond willen zakken en verdwijnen. Straks zou de boer hem zeker vragen gaan stellen en Tomas had geen idee hoe hij alles kon uitleggen.

Hij was niet alleen bang voor de reactie van de boer maar ook, en vooral, voor de reactie van zijn moeder. Hij zou haar vreselijk teleurstellen.

Jort nam grote stappen door het veld en had de boer al ingehaald voor de formatie bereikt was. Hij liep direct door naar het midden van de cirkel en keek aandachtig naar het centrum van de cirkel: het leek op een vogelnestje en het zag er prachtig uit. Heel voorzichtig stak Jort zijn arm erin die tot zijn elleboog verdween. Tomas moeder slaakte opgewonden kreetjes toen zij het nestje zag: dit was haar favoriete vorm van een centrum.

Tomas staarde strak naar zijn voeten en begreep er niets van. Hoe konden ze nu doen alsof er een cirkel lag? Zouden ze iets hebben vermoed en een afspraak met elkaar hebben gemaakt om hem terug te pakken? Schoorvoetend kwam hij naar de rand van de graancirkel. Toen Tomas met tegenzin zijn ogen opsloeg, kon hij niet geloven wat hij zag... Er lag écht een graancirkel. Een graancirkel met prachtig neergelegd graan, in een vorm die leek op een bloem met een nestje in het midden. Van pure opluchting begon Tomas hardop te lachen en maakte een vreugdesprong aan de rand van de formatie.

Tomas had niet gezien dat de boer hem goed in de gaten hield al die tijd en nu ook opgelucht lachte.

Bob de Haas wist niet wat hem overkwam en ging direct terug naar zijn auto om alsnog zijn onderzoeksspullen op te halen.

Jort lag inmiddels op zijn buik in het graan en bekeek een aantal graanstengels van dichtbij. 'Kom eens kijken Tomas', zei hij. 'Zie je die dikke stukken in de stengel? Dat zijn de knopen die ervoor zorgen dat de stengel zich kan bewegen in de richting van het zonlicht. Elk gewas heeft zonlicht nodig om goed te kunnen groeien; zonnebloemen richten zich ook altijd naar de zon. Een aantal van die knopen is ontploft door de druk die erop is uitgeoefend tijdens het maken van de cirkel.'

'Net als bij een ei in de magnetron', zei Tomas.

Jort keek Tomas verrast aan. 'Hoe... natuurlijk. Ik vergat even dat jij het kind bent van een graancirkelonderzoeker. Dit ziet er helemaal niet slecht uit hoor. Ik denk zelfs dat het een van de mooiste vormen is die Nederland ooit gekend heeft.' Terwijl hij sprak tilde Jort een grote bos stengels op en keek hoe het graan eronder uitzag. 'Kijk, de onderlaag ligt de andere kant op. Heel mooi allemaal.'

'Denkt u dat deze formatie door mensen is gemaakt?' vroeg de boer aan Jort.

'Soms is dat heel moeilijk te zeggen', antwoordde Jort, 'maar dit ziet er wel erg mooi uit hoor. Het lijkt me sterk dat dit met die lelijke, dikke, oude plank gemaakt is die u ons net liet zien. We hebben ook ontplofte knopen gevonden en dat is meestal een goed teken. Heeft u misschien aanwijzingen dat er mensen aan het werk geweest zijn?'

'Niet echt', zei de boer. 'Ik heb gisteravond wel kinderen zien lopen, maar ik denk niet dat zij het gedaan hebben.'

'Dat denk ik ook niet', zei Jort. 'Probeert u maar eens een stukje graan plat te leggen met die plank. Daar moet je echt behoorlijk kracht voor hebben. Kinderen zijn daar nog niet sterk genoeg voor denk ik.'

'Misschien heeft u gelijk', zei de boer. 'Het is wel jammer dat we nu nooit zullen weten wat het dan wel is geweest. Bovendien kan ik nu ook niemand een rekening geven voor de schade.'

'Waarom zet u niet een bus bij de ingang van het veld waar mensen wat geld in kunnen doen voordat ze het veld betreden? Dat doen ze in Engeland ook. Die boeren halen zo soms nog een aardig zakcentje op', zei de moeder van Tomas.

Jort vroeg aan de boer of hij verder nog iets bijzonders had gezien of gehoord.

De boer antwoordde dat hij wakker was geworden omdat de dieren aansloegen en dat hij was gaan kijken. 'Toen ik de deur opende, zag ik kwajongens wegrennen', zei hij met een lachje. Dat hij ook een licht in de verte had gezien, vertelde hij er niet bij.

Bob de Haas was inmiddels teruggekeerd met zijn spullen en Jort en mama hielpen hem met het onderzoek. Tomas keek van een afstandje toe en had pas in de gaten dat de boer naast hem stond toen hij vroeg: 'Dat was zeker wel een verrassing hè? Het ene moment wil je iemand voor de gek houden, het volgende moment word je door iets het veld uitgejaagd en later blijkt dan dat er toch een graancirkel ligt die jij niet hebt gemaakt...'

Tomas keek de boer aan en begreep dat hij een bondgenoot had. 'Het spijt me', zei hij alleen maar.

'Ik wilde het eerst ook niet maar, nou ja... Siem heeft beloofd het eerlijk tegen u te zullen vertellen.'

'Dat heeft hij ook gedaan: vanmorgen vroeg al. Zo vroeg zelfs dat ik het veld nog niet eens gezien had. Ik had daar gisteravond eerlijk gezegd geen zin meer in. Na Siems telefoontje ben ik gaan kijken en toen ik deze graancirkel vond, begreep ik onmiddellijk dat het jullie werk niet kon zijn. Natuurlijk vertelde Siem dat het jullie plan was om een cirkel te maken, maar als het jullie gelukt was, dan had hij het mij ook eerlijk gezegd. Ik ken hem en zijn vader goed en ik vertrouw hem. Toen ik hem later terugbelde om te vertellen wat ik had gevonden, was hij door het dolle heen. Ik vermoed dat hij nog wel hier naartoe komt, hij wil de cirkel heel graag zien.'

Siem kwam 's middags naar Tomas. Ze hadden heel wat te bepraten. Daarna besloten ze samen naar de boer te fietsen om hem te bedanken voor het stilhouden van hun geheim. Tomas had al een mooi gevlochten strokrans voor de boer gekocht bij de bloemenwinkel in het dorp. De boer waardeerde dit gebaar zeer en nadat de jongens de graancirkel hadden bewonderd, nodigde hij hen uit om even binnen te komen.

Ze zaten net aan een groot glas koude limonade met een lekkere koek erbij toen de boer plotseling vroeg: 'Ik snap dat je een plank en een touw nodig had voor het maken van een graancirkel, maar leg me nu eens uit hoe je een zaklamp zo hebt gemaakt dat het net leek alsof er opeens een lichtgevende strandbal boven het veld vloog.'

Siem verslikte zich in zijn koek en kuchte een mond vol kruimels uit op tafel. Tomas schoot ervan in de lach en zei toen serieus: 'Die bol hebben wij niet gemaakt meneer; dat is een van de mysteries van het veld. Waarschijnlijk heeft die bol de graancirkel gemaakt. Als u daar meer over wilt weten, kunt u een goed boek over graancirkels in de bibliotheek lenen. Daar staat het allemaal in, ik heb het zelf ook gelezen.'

Na een tijdje namen de jongens afscheid van de boer en stapten op hun fiets. Ze waren opgewonden over alweer een nieuwe graancirkel en enorm opgelucht dat de boer hen niet had verraden. Ze hadden hun lesje wel geleerd en bovendien: niets is spannender dan de échte mysteries.

24

Na de vakantie

De vakantie was voorbij en de school was weer begonnen.
Af en toe dacht Tomas met een glimlach terug aan alle
avonturen die hij had meegemaakt.

Het afscheid nemen van Siem was niet gemakkelijk
destijds, maar gelukkig had Tomas' moeder voorgesteld dat
Siem de eerstvolgende vakantie mocht komen logeren.
Natuurlijk mailden de jongens regelmatig en hadden ze al
heel wat uurtjes met elkaar gebeld.

Toen Tomas de eerste dag na de vakantie vertelde over zijn
ervaring met de graancirkels waren er veel vragen en leuke
reacties gekomen. Op verzoek van meester De Korte en de
klas had hij er een spreekbeurt over gehouden. Op die dag
had hij trots zijn gele T-shirt met de graancirkelformatie
weer gedragen.

Tomas herinnerde zich zijn openingszin nog heel goed.
Hij wees op zijn T-shirt en zei: 'Wat jullie hier zien, heet de
Juliaset en hij is verschenen op klaarlichte dag, vlakbij
Stonehenge in Engeland. Niemand zag het gebeuren!'
Tomas legde alles uit wat hij over graancirkels wist en liet
een aantal prachtige foto's de klas rondgaan.

Sterre ging heel graag naar school; zij was dol op haar twee
juffen. Ze waren allebei blijverrast toen ze de bloempotjes
met graankorrels kregen. De potjes stonden in de
vensterbank en iedereen was verbaasd toen bleek dat het
graan in het ene potje veel sneller groeide dan in het

andere. Tomas' moeder belde erover naar de voorzitter van de Nederlandse groep van graancirkelonderzoekers. 'Wat leuk dat je me belt', zei hij enthousiast. 'Ja, het komt wel vaker voor dat het graan, geoogst uit een cirkel anders groeit dan graan dat gewoon uit het veld komt. Er is al veel onderzoek naar gedaan: als het graan uit een graancirkel nog niet rijp is, dan groeit het soms langzamer dan normaal en als het wél rijp is groeit het vaak sneller. Kan het zijn dat de zaadjes van twee verschillende plekken komen?'

Omdat Sterre alles in geuren en kleuren aan haar moeder had verteld, ook dat ze de zaadjes in het ene potje uit haar boeket gepulkt had en de zaadjes voor het andere potje uit de gemaaide cirkel had meegenomen, was het raadsel snel opgelost. Uiteindelijk groeide het graan niet in de vorm van een graancirkel, maar dat vonden haar juffen helemaal niet erg.

Door deze gebeurtenis was Tomas erg nieuwsgierig geworden en wilde hij alles weten en onderzoeken, net als zijn moeder. In de schuur lagen bundeltjes met graanstengels uit Engeland en ook uit de cirkel in Drenthe. Ze waren bij elkaar gebonden tot bosjes en om elk bosje zat een papiertje. Tomas had dit al eerder bij Bob gezien en het viel hem op dat zijn moeder precies zo te werk was gegaan: de plaats waar de graancirkel was verschenen, stond op het papiertje plus de datum waarop hij was gevonden en de plek waar het graan was geplukt. 'Waarom doen jullie dit op deze manier?' vroeg Tomas. 'Onderzoek valt of staat met een zorgvuldige manier van werken', zei zijn moeder. 'Een bewijs leveren is iets anders dan een mooi verhaal vertellen of een gokje doen, weet je. Als iets bewezen wordt door onderzoek, dan betekent het dat de uitslag hetzelfde is als iemand anders het onderzoek nadoet. Daarom nemen graancirkelonderzoekers bosjes graan van al die verschillende plekken en noteren we alles zo nauwkeurig.'

Tomas dacht diep na: 'Maar waarom dan graan uit de cirkel én graan daar vlakbuiten én nog graan verderop in het veld?'

'Om goed onderzoek te doen, moet je kunnen vergelijken', antwoordde Tomas' moeder. 'Kijk maar naar de potjes van Sterre: graancirkelonderzoekers hebben al bewezen dat het vaak voorkomt dat graan uit een cirkel een ander groeipatroon heeft dan normaal. Omdat we ook nog nauwkeurig de datum vermelden, kunnen we met zekerheid zeggen dat het graan rijp is op die datum of juist niet.'

'Hé, moet je kijken!' zei Tomas die even genoeg gehoord had, 'de muizen hebben hier een feestmaal aangericht..., allemaal afgeknaagde bundeltjes en het graan is bijna weg!'

'Doe ik daar nou zo mijn best voor.' Tomas moeder liet een diepe zucht horen.

'Wat ik niet snap', zei Tomas, 'is dat ze van deze bundeltjes helemaal niets hebben gegeten en van die daar zoveel.' Hij wees de verschillende bundeltjes aan.

'Daar doen we ook onderzoek naar!' zei zijn moeder opgelucht. 'Dus eigenlijk is het niet zo erg. Het ziet ernaar uit dat de muizen graan dat uit een graancirkel komt niet graag lusten.'

'Slimme muizen zeg', zei Tomas. Ik zie echt het verschil niet tussen de ene korrel en de andere.

'Ja, dieren hebben een bepaald instinct waar wij mensen niet aan kunnen tippen.'

'Weet je nog mam, dat ik vertelde dat alle dieren zo onrustig waren toen Siem en ik een gat aan het graven waren voor de nepcirkel en dat daarna de lichtbol verscheen?' Tomas had inmiddels het hele verhaal opgebiecht en ze hadden er hartelijk om gelachen.

'Ja, dat is precies wat ik bedoel met instinct', antwoordde zijn moeder.

Tomas was daarna een paar keer mee geweest naar een lezing die zijn moeder gaf over het onderwerp graancirkels. Hij was reuze trots op haar en het was elke keer weer geweldig dat er zoveel mensen op afkwamen die allemaal geïnteresseerd waren in graancirkels. Zijn moeder vertoonde prachtige foto's op een groot scherm en vertelde er alles bij wat ze wist. Natuurlijk konden de aanwezigen ook vragen stellen en vaak ontstonden er hele discussies. Soms was de stemming heel serieus, maar gelukkig werd er ook veel gelachen.

Tot Tomas' grote vreugde kwam Jort Banning af en toe bij hen thuis. De laatste keer vertelde Jort dat het artikel, met onder andere de foto van Tomas, bijna klaar was. Voor de aardigheid had hij een prachtige luchtfoto meegenomen van een bijzondere graancirkel: als je er wat langer naar keek, leek het net een vlucht zwaluwen. Tomas vond het echt een te gekke foto en hij was dan ook totaal verrast toen een tijdje later een andere vriend van zijn moeder met een heel bijzonder cadeau aankwam. Deze vriend bleek kunstenaar te zijn en hij had een prachtige afbeelding gemaakt van... precies deze graancirkel.
'Mam!' riep Tomas blij, 'daar zijn de zwaluwen weer en wat een mooie kleuren!'
De kunstenaar vond het fijn dat zijn cadeau zo welkom was en Tomas' moeder zei: 'Deze graancirkel heeft ook echt de naam: De Zwaluwen. Veel mensen herkennen die vogels erin en zo krijgt een graancirkel spontaan zijn naam.'
De kunstenaar vertelde dat deze cirkel ook nog een andere naam had: Overgang. 'Zoals ik het zie', zei hij, 'en

met mij velen, zendt de energie van deze cirkel vertrouwen uit en bereiden de zwaluwen en de geometrische vormen ons voor op nieuwe tijden.'

Het kunstwerk werd op een mooie plek opgehangen en elke keer als Tomas erlangs liep, werden zijn ogen er als een magneet naartoe getrokken. Wat een gave vormen, dacht Tomas vaak, het is gewoon fijn om naar te kijken.

25

Cirkeljagers

Het was zover! Tomas ging samen met zijn moeder naar Engeland. Er was veel gebeurd het afgelopen jaar en Tomas kon zich haast niet voorstellen dat het alweer bijna een jaar geleden was dat hij voor het eerst in zijn leven in een echte graancirkel had gestaan. Hij had inmiddels zoveel over graancirkels gelezen dat hij volgens zijn moeder al een echte croppie was geworden. Dat is de benaming voor iemand die alles over graancirkels wil weten.

Dit weekend was er een bijeenkomst voor graancirkel-onderzoekers met lezingen en ontmoetingen in oudere graancirkels. Iedereen verheugde zich erop om elkaar weer te zien en alle nieuwtjes uit te wisselen. Tomas' moeder vond het fijn om haar belofte na te komen door samen met Tomas naar Engeland te gaan. Bovendien kon hij haar goed helpen met wat kleine onderzoeken.

Ze vertrokken op vrijdagochtend en hadden de tijd tot zondagavond. Tomas wist dat er weinig ruimte was om toeristische plaatsen te bezoeken. Direct nadat het vliegtuig was geland, liep zijn moeder door om een huurauto op te halen en binnen een half uur waren ze op weg. Tomas vond het best spannend om in een Engelse auto te zitten: het stuur zat aan de verkeerde kant en alle auto's reden op de linker weghelft. Gelukkig zat zijn moeder daar helemaal niet mee en na een tijdje begon ook Tomas eraan te wennen.

Na anderhalf uur rijden kwamen ze in een heuvelachtig gebied met weinig bebouwing.

'Welkom in Wiltshire, Tomas!' zei zijn moeder. 'We zijn nu in het gebied waar het allemaal gebeurt. Kijk goed om je heen of je iets bijzonders ziet in de velden. Ik heb voor ons vertrek nog even op internet gekeken naar plaatsen waar graancirkels liggen. Je weet maar nooit: er kan zomaar een nieuwe verschijnen!' Tomas' moeder keek blij en verwachtingsvol.

Overal om zich heen zag Tomas enorme graanvelden, veel groter dan de velden in Nederland. Elke keer als ze een heuvel opreden, had Tomas een wijds uitzicht. Dit was heel handig als je naar graancirkels zocht.

'Dáár!' riep Tomas plotseling en hij wees naar rechts. Zijn moeder minderde vaart en keek in de richting waarnaar hij wees. Ze zagen een onregelmatig, omvergevallen stuk graan. 'Nee, dat is niets. Dat noemen we windschade. Ik kan me voorstellen dat je denkt dat het een graancirkel is, maar het heeft geen vorm en het is veroorzaakt door de wind.'

Ze reden het gebied steeds verder in: 'Nog even', zei Tomas' moeder, 'en we zijn bij ons eerste onderzoeksveld. Ik verheug me op het weerzien met mijn collega's.'

Tomas hoorde zijn moeder nauwelijks. Ze reden door een lange schaduwrijke laan met hoge bomen aan weerszijden. Omdat het hier vrij donker was, verbeeldde Tomas' zich dat hij een ridder van Koning Arthur was die hier te paard rondreed, op zoek naar struikrovers. Het wordt tijd dat ik ze eens een lesje leer, dacht Tomas. Achter de volgende boom zag hij Merlijn staan: de beroemde magische tovenaar, die zo'n grote rol speelde in de tijd van Koning Arthur. 'We krijgen ze wel, Merlijn', zei Tomas zachtjes.

Toen zijn moeder vroeg wat hij zei, kwam Tomas tot de ontdekking dat zijn fantasie een beetje op hol was geslagen. Kennelijk gebeurde dat in dit gebied gemakkelijk met je.

'Zei je Merlijn?' vroeg zijn moeder verrast. 'Weet je dat men zegt dat zijn graf hier in de buurt ligt? Misschien kunnen we straks nog een kijkje nemen. Het ziet er heel bijzonder uit. Het is een heuvel met allemaal schelpen erin.'

Behendig parkeerde Tomas' moeder de auto bovenop een heuvel met prachtig uitzicht over een groot deel van de omgeving.

'We zorgen ervoor dat al onze spullen die we niet meenemen uit het zicht zijn', zei Tomas' moeder. 'Er wordt hier erg veel ingebroken, dus zorg dat er niets waardevols achterblijft.'

Tomas keek haar verbaasd aan. 'Daar staat een politiewagen. De politieagenten zullen er toch wel voor zorgen dat er hier niks gebeurt?'

Zijn moeder lachte een beetje schamper: 'Daar staat wel een wagen, maar er zitten geen agenten in. Die wagen halen ze vanavond weer op. Hij staat er alleen als voorzorgsmaatregel om de dieven af te schrikken. Er zijn veel fijne enthousiaste mensen die naar graancirkels komen, maar ook niet zulke fijne. Het is verstandiger om met dat feit rekening te houden.'

Ze stapten uit, namen hun camera's mee en liepen het veld onderaan de heuvel in. Over de tractorsporen kwam een aantal mensen Tomas' moeder tegemoet en iedereen begroette elkaar hartelijk. Tomas werd duidelijk verwacht na alle e-mailtjes van zijn moeder en werd door iedereen begroet. Van het hele gezelschap kende hij alleen Jort Banning: 'Ha die Tomas, fijn dat je er bent! We spreken

elkaar later nog wel. Ik ga eerst mijn onderzoek afmaken.'
Jort zwaaide nog even en liep de formatie weer in.

Laat in de middag vertrokken Tomas en zijn moeder naar het huis waar ze zouden overnachten. Er logeerden graancirkelonderzoekers uit de hele wereld en velen kenden elkaar al van eerdere bijeenkomsten. Het was meer een thuisplek waar de onderzoekers op de raarste tijden even sliepen, dan een overnachtingsplaats. Grote delen van de nacht zaten de croppies bij een veld: wakend!

Er was al een afspraak gemaakt om de wacht te houden bij een graanveld niet ver van de cirkel waar ze nu stonden. Tomas deed zijn best om niet te gapen. Het was een lange dag met veel nieuwe indrukken. Bovendien sprak bijna iedereen Engels en daar begreep hij nog niet zoveel van.

'Kom maar mee', zei zijn moeder, 'misschien kun je een tijdje slapen voordat onze wacht begint. Je zult je energie hard nodig hebben.' Ze namen hun camera's mee en verlieten zwaaiend het veld.

Tomas lag op bed, maar van slapen kwam niet veel. Hij was te opgewonden over alles wat er nog te gebeuren stond de komende nacht. Stel je voor, dacht hij, dat ik zo'n prachtige Engelse graancirkel zie ontstaan... mét lichtbollen en dat ik er later in rond loop. Misschien wel zo'n formatie van een paar honderd meter lang! Wat zullen mijn vriendjes zeggen als ik de foto's ervan laat zien: Tomas midden in de grootste graancirkelformatie ooit!

Omdat hij toch niet kon slapen besloot Tomas een spelletje op zijn gameboy te spelen.

Ze aten expres laat en Tomas' moeder nam nog een stevige kop koffie om goed wakker te blijven. Voor hun eigen plezier en ook om te kijken of er al iets bijzonders te zien was in- en om de velden, reden ze eerst op hun gemak rond in het graancirkelgebied.

'Wat doe je eigenlijk als je nepcirkelmakers bezig ziet?' vroeg Tomas.

'Dat hangt ervan af', zei zijn moeder. 'Het beste is om de politie te bellen. Het is strafbaar om zonder toestemming op het terrein van een ander te zijn, dus krijgen ze een flinke boete en als er schade is aangericht, moeten ze die ook vergoeden aan de boer.'

'Hmmm', zei Tomas en toen hij even opzij keek, zag hij dat zijn moeder glimlachte. Natuurlijk dacht zij ook aan de grap van Tomas en Siem.

'Eigenlijk interesseren die nepcirkels me niet', zei zijn moeder beslist. 'Wij hopen op het ontstaan van een graancirkel als we posten of een gebeurtenis die ons verder helpt om de raadsels op te lossen. En door te posten, kunnen we soms de tijd van het ontstaan bepalen.'

'Hoe bedoel je?' vroeg Tomas.

'Stel je voor dat wij vannacht tot vier uur posten en de volgende ploeg begint morgenochtend om zeven uur. Als er om zeven uur opeens een graancirkel ligt, weten we in elk geval zeker dat hij tussen vier en zeven uur is verschenen.'

Na een uurtje parkeerde Tomas' moeder de auto in de berm onder een paar bomen om hem een beetje te camoufleren en daarna wandelden ze rustig het veld in. Er was al een klein groepje mensen aanwezig; ze praatten zachtjes met elkaar. Een van hen had een bijzondere trommel meegenomen waarop hij af en toe een ritme sloeg. Het klonk mooi en mysterieus.

De nacht was helder en er waren al sterren zichtbaar. Tomas wees naar de hemel en zei enthousiast: 'Mooi hè, mam?'

'Nou en of! Maar eigenlijk is het niet zo goed voor een nachtwake: als er veel sterren zijn is de verleiding heel groot om aldoor naar boven te kijken en weg te dromen.'

Tomas vond de mensen aardig en de stemming was opperbest. Het was vervelend dat hij het Engels niet verstond en elke keer aan zijn moeder om een vertaling moest vragen. De nacht was al een behoorlijk eind gevorderd en Tomas besloot een stukje van de groep af te gaan zitten om rustig na te denken. Op een gegeven moment werd hij toch wat slaperig. Zijn ogen vielen af en toe dicht en dan knikte zijn hoofd naar voren waardoor hij weer wakker schrok. Hij mocht nu niet in slaap vallen! Als er écht iets gebeurde dan zou hij het missen...

Tomas ging lekker op zijn rug liggen en keek naar de sterren die Siem hem had aangewezen. De grote beer herkende hij onmiddellijk aan de vorm van een steelpan en de meest heldere ster, Sirius, ook. Ik vind de sterren-hemel super, dacht Tomas.

Inmiddels werd het in de groep even verderop steeds stiller en na een poosje kwam er helemaal geen geluid meer. Tomas' ogen vielen vanzelf dicht.

Plotseling hoorde hij een angstaanjagend geluid. Binnen een tel zat Tomas rechtop. Een monster! Vlakbij! Het maakte een oorverdovend geluid: griezelig knorrend en blaffend tegelijk... Met opengesperde ogen bleef Tomas zitten waar hij zat.

Op nog geen meter afstand zag hij het graan opzij buigen. Het monster moest wel enorme poten hebben... en slagtanden! Scherpe...

Tomas wilde om hulp roepen, maar het enige geluid dat er uit zijn keel kwam was een zacht gepiep.

Toen boog het graan helemaal opzij en door zijn wazige

ogen keek hij het monster recht in de ogen. Het had een kop met een zwarte neus en een witte streep erboven. Tomas en het beest keken elkaar geschrokken aan. Tegelijkertijd slaakten ze een oorverdovende kreet en renden allebei weg, zo hard als ze konden, in tegenovergestelde richting.

De moeder van Tomas kwam direct op het geschreeuw af en vroeg wat er aan de hand was.

'Een monster!' riep Tomas luid, terwijl hij in de richting wees waar het was verdwenen.

Een van de mannen uit de groep was het veld al in gerend en riep uit de verte: 'Het is een das. Ze heeft hier een nest met kleintjes. Ze beschermt haar gezin!'

Iedereen lachte opgelucht, maar Tomas zag nog steeds wit om zijn neus. Hij was écht vreselijk geschrokken. De groep besloot dat het welletjes was en iedereen wilde graag nog een paar uurtjes slapen. Op dit moment was er voor de onderzoekers niet veel te beleven en het zou vannacht ook niets meer worden, zeiden ze tegen elkaar. Alleen Tomas kon dat niet beamen: hij had genoeg beleefd voor één nacht.

Pas bij het ontbijt kon Tomas ook lachen om het hele voorval met de das. Ze hadden besloten om niet uit te slapen, want zoveel tijd hadden ze niet en als er een nieuwe graancirkel in een van de velden in Wiltshire zou verschijnen, wilden ze er beslist bij zijn.

Aangezien er nog geen nieuwe meldingen waren, bezochten Tomas en zijn moeder een wat oudere formatie. Terwijl ze erdoorheen liepen, zagen ze maar stukjes van het geheel. Tomas had het idee dat er een doolhofpatroon in zat. Als hij later op internet naar de luchtfoto ging kijken, zou hij daar wel achterkomen.

Terwijl hij zijn moeder hielp met enkele metingen viel hem op dat een aantal lijnen rechtdoor liep en een aantal rond. In zijn gedachten zag hij Jort weer aan de tuintafel in Drenthe zorgvuldig lijnen trekken over een formatie heen. Tomas dacht nog vaak aan die prachtige geometrische figuren. Op dat moment, op die plek in het graanveld nam Tomas zich voor dat hij op het voortgezet onderwijs voor de richting wiskunde en het vak Engels zou kiezen.

Tomas' moeder werd op haar mobieltje gebeld en Tomas zag aan haar gezicht dat het belangrijk nieuws was. Zonder woorden gebaarde ze hem om alle spullen in de tas te gooien en snel het veld te verlaten.

'Hé mam, je staat in een graancirkel en je mobieltje doet het gewoon!' zei Tomas verbaasd.

'Daar is geen peil op te trekken. Soms doen ze het en soms niet, antwoordde zijn moeder snel. Kom op, er is een nieuwe cirkel ontdekt', zei zij zacht toen ze buiten gehoorsafstand van andere mensen waren. 'Het is belangrijk dat onze groep onderzoekers er het eerst is.'

De tas werd achter in de auto gesmeten en met gierende banden reden zij de weg op. Na een paar minuten kwamen ze een tweede auto met onderzoekers tegen met hetzelfde doel en dezelfde snelheid. Ze toeterden en zwaaiden opgetogen naar elkaar en vervolgden samen hun racepartij.

Tomas was door het dolle heen. Hij riep heel hard: 'Hiéiéiéhááá!', alsof hij een cowboy was.

Zijn moeder lachte naar hem. Ze had rode wangen van opwinding. 'Wij zijn op weg naar een nieuwe cirkel!' riep ze blij en trapte het gaspedaal nog wat verder in. 'Snap je nu waarom ik dit zo leuk vind, Tomas?'

Tomas had het gevoel alsof hij in een achtbaan zat:

precies hetzelfde spannende gevoel in zijn buik: 'Yés!' riep hij lachend. In een opwelling stak Tomas zijn hoofd door het open raam en terwijl de wind aan zijn haar rukte gilde hij: 'Wij zijn cirkeljagers!!!'

Nawoord

Misschien ben jij zo'n geluksvogel die de kans krijgt om een echte graancirkel te zien. Het kan zijn dat je er iemand over hoort praten, dat je het in de krant of op internet leest of dat je er zelf een ontdekt. Het is zeker de moeite waard om een kijkje in de cirkel te nemen, maar er is wel een aantal regels waar je je aan moet houden. Een graanveld is voor de boer zijn werk en daar verdient hij geld mee. Wanneer je zijn veld zomaar in gaat, zou je schade aan het gewas aan kunnen richten waardoor de boer minder kan verdienen. Denk daarom altijd aan het volgende:

- Zoek altijd eerst uit van wie het land is en vraag toestemming aan de boer om erin te mogen. Weet je niet wie de eigenaar is of is de boer niet thuis, ga dan niet het veld in in de hoop dat hij het wel goed zal vinden. Wanneer de boer je betrapt, kan hij de politie erbij roepen en dan kun je een bekeuring krijgen. Jij kan ervan verdacht worden dat je de cirkel hebt gemaakt en mogelijk moet je zelfs de schade aan het veld betalen, terwijl jij die cirkel helemaal niet hebt gemaakt.

- Als de boer om een kleine vergoeding vraagt om het veld op te mogen, geef die dan ook.

- Wanneer het veld is afgesloten met een hek, klim er dan niet overheen, maar ga er doorheen en doe het hek weer achter je dicht. Loop via de tractorsporen; deze zijn altijd goed te zien. Soms betekent dit dat je een eind om moet lopen. Ga dus nooit uit de tractorsporen dwars door het veld heen. Een graanveld is geen grasveld en elke graanstengel die je kapotmaakt door erop te gaan staan, is een stengel minder voor de boer om te kunnen oogsten.

• Neem nooit rommel mee een graanveld in en laat het er zeker niet achter! Gedraag je als een nette gast in het veld van de boer. Zo vindt hij het de volgende keer ook niet erg als jij of een andere geïnteresseerde weer komt.

Heel veel graancirkels worden door deskundigen bezocht die goed kijken of er iets bijzonders is waar te nemen. Het is belangrijk dat je dit onderzoek niet per ongeluk verstoort en misschien kun je zelfs wel een bijdrage aan het onderzoek leveren. Je moet dan ook op het volgende letten:

• Loop als je in de graancirkel bent niet onnodig heen en weer en loop zo veel mogelijk langs de rand. Eventueel kun je je schoenen uitdoen, want als je het geluk hebt om in een nieuwe graancirkel te staan, is het net alsof je met je voeten op een rieten mat staat.

• Kijk goed of je iets bijzonders ziet of voelt en onthoud dat goed. Schrijf het op als je denkt dat je het zult vergeten.

• Kijk goed waar het veld ligt zodat je door kunt geven waar de graancirkel is. De mensen die de graancirkels willen onderzoeken, kunnen namelijk niet overal tegelijk zijn en kunnen ook niet altijd zelf alle cirkels ontdekken. Daar kun jij dus bij helpen. Weet je dat er een graancirkel in de buurt is, dan zou het fijn zijn als je dat doorgeeft. Dat kan via www.DCCA.nl of www.DCCCS.org.

Voor meer informatie

Wil je meer weten over graancirkels of mooie foto's
bekijken, dan kun je de volgende boeken lezen of een
kijkje nemen op enkele websites:

Eltjo H. Haselhoff: *Geheimzinnige graancirkels –
Wetenschappelijk onderzoek & mysterieuze verhalen,*
Het Spectrum B.V., Utrecht 2002

Andreas Müller: Kornkreise – *Geometrie, Phänomene,
Forschung,* AT Verlag, Aarau, Zwitserland 2001

Janet M. Ossebaard: *Graancirkels – Een wereldwijd mysterie,*
Librero, Hedel 2000

Andy Thomas: Vital Signs – *A Complete Guide to the CROP
CIRCLE Mystery and why it is Not a Hoax,* S B Publications,
East Sussex, Engeland 2002

Bert Janssen: *The Hypnotic Power of Crop Circles,* Frontier
Publishing, Enkhuizen 2004

www.circularsite.com

www.bertjanssen.nl

www.DCCA.nl

www.DCCCS.org

www.cropcircleconnector.com

www.ukcropcircles.co.uk

www.temporarytemples.co.uk

www.lucypringle.co.uk

www.janosh-art.com

Dankjewel

Graag wil ik de volgende mensen bedanken:

Robert Boerman, Mark Fussell, Eltjo Haselhoff,
Herman Hegge, Janosh, Bert Janssen, Andreas Müller,
Janet Ossebaard, Andy Thomas, Rob Trouw, en de
mensen van Uitgeverij Akasha.

En verder dank ik alle mensen die ik in en rond de velden
heb mogen ontmoeten. Zij hebben mij informatie, inzicht,
discussies, gezelligheid en vriendschap gegeven.

Een aantal foto's van graancirkels

Barbury Castle 2003

Etchilhampton 2004

Dolfijnen, Golden Ball Hill 2004

Eastfield 2004

Wilhelminaoord 2003

Barbury Castle 2003

Middenstip

Waylands Smithy 2005

Zwaluwen, Clatford Bottom 2005

Spin, Etchilhampton 2004